CHODZĄC
PO KRAKOWIE
NA CZWORAKACH

Korekta
Anna Kendziak
Agata Pindel-Witek

Skład i projekt okładki
Andrzej Witek

ISBN 83-60293-42-2

Druk: Drukarnia GRYFIX, tel. 012 292 26 48

*Pamięci księcia Bolesława Wstydliwego,
inicjatora Wielkiej Lokacji Krakowa*

*Specjalne dedykacje dla
ks. Jarnuszkiewicza (z Towarzystwa Jezusowego)
i Roberta Tekielego, twórcy „bruLionu"*

*Ten to Krok założył miasto nad rzeką Wisłą,
a od swego imienia nazwał je Kroków,
potem Kraków nazwano.*

Joachim Bielski

*A teraz uważajcie na to co powiem:
imię Karkinos, czytane wspak, czyli na sposób
wybitnie raczy, brzmi Soni Krak,
co po słowiańsku tłumaczymy syn Kraka.*

profesor Jan Aesticampianus Starszy

Rozdział 1

Nazywam się Konrad Celtis (dla zainteresowanych głębiej moją biografią: Pickel). W zasadzie jestem obecnie plastykiem a nie literatem, ale postaram się najlepiej, jak potrafię, napisać tę księgę, bo mam ku temu poważne powody. Zanim zacznę je możliwie wyczerpująco wyjaśniać, chciałbym wszystkim dać niejakie wyobrażenie o sobie.

Być może zaciekawi Czytelnika fakt, że obrałem sobie za siedzibę Norymbergę – miasto tak inne od tego, które jest tematem mej aktualnej pracy. Na moim warsztacie leży bowiem rzecz szczególna. Jej wykonanie zlecił mi sławny norymberski wydawca, Antoni Koberger. Mam stworzyć półrealistyczny, półfantastyczny obraz Krakowa. Zamierzam opracować jego perspektywę prawdopodobnie od strony północno-zachodniej, bo to umożliwi pokazanie fasad licznych krakowskich kościołów.

Mam już ogólną koncepcję tego graficznego przedstawienia i jestem świadom niemal każdego szczegółu, który znajdzie w nim zastosowanie. Chociaż, przy tak ryzykownym zajęciu jak moje, niczego do końca nie można być pewnym. Odnajduję w nim niewielką analogię do mocno zamierzchłych kanonów Odwiecznej Strategii. Czyż nie zaplanowała Ona dla nas świata doskonałego? A jednak niejedno w przyszłości miało Ją zaskoczyć.

Bądźmy wszakże dobrej myśli: posiadam dostateczną ilość materiału, dwie zdrowe ręce i wystarczające – wypada żywić taką nadzieję – umiejętności. Dlaczego więc miałoby się nie udać?

Wracając do tematu mojej pracy... Na pewno nie pojawił się on przypadkowo, o nie! W Krakowie przeżyłem coś, co całkowicie odmieniło me poprzednie życie. Dokonał się tam przełom, którego sensu do końca chyba jeszcze nie pojąłem, choć usilnie się staram. Ściślej rzecz biorąc, doświadczyłem w owym miejscu całej serii gwałtownych afektów, które odbiły się nieusuwalną blizną na mej duszy i pozostaną w niej już chyba na zawsze.

Jeżeli mowa o Krakowie – pierwszą postacią, przy której muszę się zatrzymać, jest Kallimach. Kiedy tylko przywołam w myślach nadwiślańską stolicę, zaraz staje mi przed oczyma spalona na brąz w licznych wojażach, sarkastycznie wykrzywiona twarz Tuscoscyty.

Akurat zajmował się problematyką islamu. Wir tych draźliwych spraw wciągał go zresztą, odkąd tylko sięgam pamięcią. Podejmował je z pasją, na dnie której czaiło się coś czarnego i niepokojącego. W pewnej niemieckiej oberży spotkałem kiedyś całkowicie przypadkowo, jak mi się widzi, najczystszej wody hazardzistę. Karciarz ten traktował grę w sposób zgoła odmienny od pozostałych jej uczestników. Wygrana sprawiała mu rzucający się w oczy dyskomfort. Zaczynał się wtedy kręcić niespokojnie, denerwować i przeciągać partię – notabene z niespotykaną maestrią – do chwili, w której nabierał pewności, że przegrał. Interesowały go zresztą niemałe kwoty. Wysnułem wtedy pewną teorię na jego temat. Moim zdaniem dążenia tego niebanalnego gracza miały zapewne doprowadzić do jego przegranej. To było ich podskórnym celem i w tym znajdował swoiste upodobanie. Nie mogę oprzeć się wrażeniu, że identyczne nastawienie mogłoby zostać odgrzebane spod wierzchniej warstwy uczuć, jakie żywił Kallimach do muzułmańskiej kwestii.

Właśnie mignęła mi za oknem zmarszczona mina jakiegoś nieznajomego. Do żywego przypomniała mi ona Tuscoscytę. Facjata okrągła, wielkości sporej patelni nielekko już w przeszłości wypróbowanej, z zespołem nieco jaśniejszych grubych rys gotowych zawsze zbić się w gąbczaste siedlisko niepohamowanego śmiechu. Wokół zaś bystrych oczu, łypiących jak dwa wiadra wyciągane z ciemnej studni, kręcą się ciężkie, hebanowe kędziory. One to ostatecznie – wbrew zapewnieniom ich właściciela o swojskim, europejskim rodowodzie – każą szukać domu jego matki pod afrykańskim niebem.

Ma on na sobie pelerynę, która – jak wszystko co przynależy do tego świata – pokryta została grafitowym szlifem, czyniącym jej użytkownika bez mała niewidzialnym. Trzeba się nieźle napracować, żeby go dojrzeć. Gdy się to wreszcie uda, natrafia się na wzrok mający umiejętność zbijania z pantałyku – jednakowo groźny, co zabawny. Widać w nim udaną troskę – oczy wydają się mówić: „Azaliż, drogi bracie, bardzom jest ciekaw, jak długo jeszcze wytrwamy przy pierwotnych zamiarach? Przecież poprzedzały je tak szumne i ambitne zapowiedzi!".

Gdy spotkaliśmy się po moim przyjeździe do Krakowa – a był to wciąż pierwszy etap naszej znajomości, której początek nastąpił w Norymberdze – Kallimach popatrzył na mnie takim właśnie wzrokiem.

– Czy możesz mi waść dopomóc w odnalezieniu drogi na Wąwel? – zapytał, chcąc zapewne wystawić na próbę moją znajomość sarmackiej stolicy.

Będąc jeszcze w Germanii, przestudiowałem jej mapę, autorstwa zresztą znajomego Kobergera, Kaspera Straube. Wyciągnąłem więc pewnie rękę w stronę specyficznej części grodu okupowanej w znacznym stopniu przez elitarną grupę oświeconych, na którą w dużej mierze składali się Żydzi, próbujący obsiąść również magistrat, a także ci, których iluminacja polegała na tym, że w pewnej sakralnej chwili uznali się za śmietankę społeczną, choć moim zdaniem bardziej powiewało od nich zsiadłym mlekiem. Poczułem przypływ dumy z powodu świeżo nabytej wiedzy topograficznej.

– Tam! – prawie wykrzyknąłem z radością. Lecz widząc dezaprobatę w oczach starszego ode mnie Włocha, zakłopotany skończyłem ciszej, wyrzucając rękę daleko do przodu:

– Tak się składa, że właśnie idę na wąwelski zamek, więc możesz waść zabrać się ze mną!

Nie było to stwierdzenie całkiem do rzeczy, bo mimo pozorów samodzielności stwarzanych przez Kallimacha, na Wąwel – czy też Wawel, jak obocznie mówią w Krakowie – mogłem wejść jedynie pod jego ścisłym kierownictwem.

Okazało się jednak, że tym razem zgorszenie mego włosko-nadwiślańskiego przewodnika dotyczyło przede wszystkim podniesionej wyżej kontrowersji. Zdawał się on podzielać tkwiącą i we mnie rezerwę wobec niektórych świętości, nie lubiących się weryfikować.

– Aha... tam – powiedział z wyczuwalną ironią. Po czym zamilkł, co w jakimś sensie zawiązało nić porozumienia między nami. Poszliśmy razem, nie odzywając się do siebie. Zerkałem na niego ciekawie z ukosa. Było coś interesującego w tym podwójnym cudzoziemcu – obcym zarówno dla mej nadreńskiej nacji, jak i tej, na której ziemiach obecnie przebywaliśmy. Przemknęło mi przez myśl przypuszczenie, że to jednak Hiszpan, a w każdym razie ktoś dużo bliższy Saracenom. Czyżby owoc miłosnej przygody jakiegoś pogranicznego awanturnika z zakwefioną Mauretanką?

Zauważył, że mu się przypatruję. Zaczerpnął powietrza, niczym aktor przysposabiający się do roli, i rzekł:
– Waść niechybnie zastanawiasz się, skąd pochodzę? To proste: jestem z miejsca, w którym narodziło się życie – zakończył ni stąd, ni zowąd i spojrzał na mnie, żeby sprawdzić, czy jego słowa wywarły odpowiednie wrażenie. Zareagowałem dość obojętnie, więc wrócił do poprzedniej kwestii. – Czyli z łożnicy, w której powiła mnie moja matka – dodatkowo, chcąc wzmocnić swój wywód, nachylił się nade mną, żebym mógł dostrzec iskry w jego oczach. – Chcąc stać wiernie przy niepolukrowanej prawdzie – potrząsnął teraz groźnie klingą zakazanego miecza z bogato zdobioną rękojeścią, który nagle wyłonił się spod jego peleryny – nie pisnę waści ni słówka więcej! A waść przy pomocy własnego rozumu sam dojdziesz do wniosku, że ponad tę sprawę, którom wyłożył, nie godzi się o pochodzeniu istoty ludzkiej powiedzieć już nic bez narażenia się na jawną i w pełni zasłużoną śmieszność! – tu jeszcze raz ostrzegawczo potrząsnął klingą.

Przyglądałem mu się z zaciekawieniem. Nie odpierałem jakoś stanowczo jego buńczucznego zachowania, nie dlatego, że obleciał mnie strach, lecz z tej prostej przyczyny, że ów cudzoziemiec, Rzymianin, czy też nie – ostatecznie wszystko to jedno – wyjął mi z ust pogląd, pod którym i ja sam mógłbym się podpisać. Ja także byłem przekonany, że życie każdego z nas bez wyjątku zaczyna się i kończy w kołysce, z tym, iż tą drugą – z uwagi na jej głębokie osadzenie pod ziemią – cokolwiek trudniej jest rozchwiać.

Rozdział 2

Pokonując posępny las, zwany Puszczą Hercyńską, który grubym kożuchem pokrywa cały obszar Śląska, znalazłem się w końcu w Krainie Białego Orła. Przy okazji wspomnę, że zbliżając się już do granic Krakowa, stałem się uczestnikiem niecodziennego incydentu. Piorun uderzył w mój wóz, wprawiając mnie w niebywałe odrętwienie, właściwie blisko było mi już do nieboszczyka. Dość szybko wyszedłem z tego. Jednakże z pewnym zaniepokojeniem spojrzałem na idealnie czyste niebo. „Czyżby Olimp pozazdrościł mi zaszczytnej dekoracji?" – pomyślałem, kierując uwagę ku eleganckiej skrzyni, w której podróżowała ma chluba, bezcenny i rzadko spotykany wieniec laurowy – symbol poetyckiego uwieńczenia.

Stanąłem zatem pośród obcych, w samym centrum lechickiej cywilizacji, na skutek misji zleconej mi przez Kazimierza Jagiellończyka. Wespół z innymi orędownikami nowych prądów, rozsiadłymi już na stałe w Akademii Krakowskiej, otrzymaliśmy zadanie przeprowadzenia zakulisowych zmian w jej strukturach, poddających wszechnicę wiatrom nadciągającego z Zachodu humanizmu. Z tego właśnie kręgu reformatorów wywodził się Kallimach.

O nieznanym mi bliżej florentczyku wiedziałem na razie niewiele ponad to, że był aktywnym dyplomatą w służbie króla polskiego. Później miałem dysponować znacznie bogatszą faktografią. Moment naszego poznania także był dosyć dyplomatyczny:

Jakiś czas temu dostrzegł mnie, chylącego czoło przed Fryderykiem III Saskim, w czasie, gdy cesarz nad szczęśliwym obliczem swego piewcy, skromnie mrużącym oczy germańskim bardem, mościł solidny i szeleszczący dowód jego poetyckiego panowania wobec zgromadzonych licznie dworzan. Kiedy uroczystość dobiegła końca, w pewnej chwili pozostaliśmy sam na sam w westybulach norymberskiego zamku.

– Gratuluję waćpanu tego wspaniałego nakrycia głowy – rzekł do mnie. – W moich rodzinnych stronach młode pacholęta ubierają się podobnie, więc mogę waćpanu udzielić kilku rad, co do jego pielęgnacji.

Krew we mnie zawrzała. Powstrzymałem się jednak od odpowiedzi, uznawszy, że dobrym rozwiązaniem będzie zademonstrowanie arogantowi wyniosłej obojętności.

– Mam dla waćpana propozycję, którą niniejszym składam w imieniu mego Najjaśniejszego Pana, władcy Sarmacji, Kazimierza IV z rodu Jagiellonów. Proszę o zdjęcie... tego.

Spojrzał na mą „koronę" z takim wyrazem, iż uczułem, jakobym zamiast niej niósł na głowie dziurawe wiadro. Niestety... nie wytrzymałem tego spojrzenia i zdjąłem szybko swój skarb, czule ściskając go w dłoni.

– A zatem, prosisz mnie waćpan w imieniu króla polskiego...

– Nie proszę – przerwał mi raczej stanowczo – lecz referuję jego wolę! A co waćpan z tym poczniesz – znów spojrzał na mój pieczołowicie chroniony przed oddziaływaniem profanów krążek – zależy już od tego, jak mądrą odpowiedź zrodzi przestrzeń pomiędzy waćpana szyją a tym zielonym... – przez chwilę szukał właściwego słowa – wianuszkiem – dokończył, gdy wreszcie je znalazł.

Chyba mu się spodobało, bo twarz wykrzywił mu pełen zadowolenia uśmiech. Ścisnąłem jeszcze mocniej mój drogi diadem. Obcokrajowiec zmienił ton na bardziej zachęcający.

– Jeżeli waćpan spełnisz wymagania królewskie – jego głos ożywił się teraz i czuło się, że w głowie rośnie mu jakiś porywający projekt – to kto wie? Może w przyszłości włożą ci na włosy wyższego gatunku laur? Wawrzyn opatrzony insygniami kapitana? Nie wolałbyś waćpan z jagiellońskiego okrętu przewodzić doborowej części ludzkości? Tak, to się musi waćpanu spodobać! – i zaczął mi wyłuszczać, o co chodzi.

Sarmacki monarcha, Kazimierz Jagiellończyk, pragnie zmienić niekorzystny układ sił pośród otaczających go możnowładców. Żeby jednak tego dokonać, nie wystarczą posunięcia doraźne. Trzeba zmian głębszych i bardziej podstawowych, które powinny dotyczyć postrzegania roli władcy jako takiego. I tu niezbędne wydaje się oddziaływanie na gremia, które przy pomocy swego umysłu kształtują poglądy całego narodu. Należy sprawić, żeby większość z nich stała się przychylna dworowi. Teraz nadarza się po temu świetna okazja. Dotychczasowy rektor akademii Jan z Baruchowa, zatwardziały poplecznik scholastyzmu i wróg Kazimierza kończy swe urzędowanie. Najwyższa więc pora, aby przejść do kontrataku. Zaufani mężowie królewscy postarają się wpłynąć na młodzież, której gorące serca nie zniosą długo drętwoty i przepełnione są szczerą nienawiścią do scholastyzmu. „Waćpan masz szansę zostać jednym z tych, którzy odważnie poprowadzą ją ku upragnionej wolności".

Musiałem wyglądać na zaskoczonego – czemu chyba nie można się dziwić - bo przerwał i zapytał:

– Rozumiesz waćpan, dlaczego to jego typują?

Nie chciałem mu ułatwiać zadania, ani nic sugerować, czekałem więc milcząco, co dalej powie.

– Ja po prostu wiem – odezwał się nadspodziewanie miękko – że waści patronuje ta sama gwiazda, która po traktach świata prowadzi innych wędrownych humanistów. Gwiazda świecąca wysoko, wyżej niż pozostałe.

W rzeczy samej, coś przemożnego gnało mnie do przodu. Pochodzę z mieszanej rodziny – półchłopskiej, półszlacheckiej. Mój ojciec, właściciel winnicy pod Würzburgiem, widzący we mnie następcę na wieśniaczym stolcu w Wipfeld, musiał przeżyć nie lada rozczarowanie, kiedy w siedemnastym roku życia uciekłem z domu do Kolonii, ażeby studiować tam *humaniora*. Być może doznany przez niego wstrząs załagodziła moja nieoceniona matka, delikatna i subtelna kobieta, oddana mu całym sercem. Zapałała do tego prostego chłopa wielkim, wręcz nadprzyrodzonym uczuciem, po czym z całą swoją stanową odwagą i konsekwencją ofiarowała mu, w niewątpliwym mezaliansie, swe drogie życie. Wiem, że zmarła niedługo po moim wyjściu z domu. Być może do jej przedwczesnego zgonu przyczyniła się i moja ucieczka.

O Kallimachu chodziły również pogłoski, że jest tureckim szpiegiem. Nie to jednak było podstawowym składnikiem dwuznacznej famy na jego temat, która płynąc po świecie, dotarła także do Norymbergi. Jej powodem było coś innego. Podaję te fakty, uzupełnione, rzecz jasna, o mą dzisiejszą wiedzę.

Młody Filip Buonaccorsi, zwany Kallimachem, w czasie swych studiów w rzymskiej Akademii Pomponia Leta, wdał się w grożący poważnymi konsekwencjami spisek na życie Piotra Barbo, czyli Jego Świątobliwości Pawła II. Gdy znany ze swej zapiekłości zdeklarowany przeciwnik humanistów dokonał ich zbiorowego zwolnienia z posad kuryjnych abrewiatorów (funkcja ta polegała na szyfrowaniu łacińskich tekstów), ofiary jego zamachu postanowiły usunąć znienawidzonego papieża z powierzchni ziemi.

Wśród spiskowców znalazł się i Kallimach. Buntownicy zostali jednak szybko wykryci i aresztowani. Kallimachowi mimo to udało się zbiec z więzienia w zamku Świętego Anioła, gdzie został osadzony.

Niestety, przyjaciele Kallimacha załamali się podczas śledztwa i całą winę zrzucili na swego nieobecnego towarzysza.

Kallimach znalazł się początkowo w Neapolu, a następnie w Trani. Już tam dogonił go fanatyczny i złowieszczy Gaspar Cilicus, agent papieski. Jednakże nie wiadomo, jakim cudem – a podobne pytanie miało zjawić się jeszcze wielokrotnie w jego życiorysie – Kallimachowi znowu udało się uciec, pozostawiając wściekłego papistę z pustymi rękami.

Tym razem udał się na Kretę, na której ponownie zagroził mu nieustępliwy wysłannik biskupa Rzymu. Przeniósł się więc Kallimach na wyspę Chios i tam znowu, można powiedzieć, w sposób jemu właściwy, wszedł w niejasne polityczne związki z niejakimi Perusinem i Giustinianim – zaplątanymi, jak się wkrótce okazało, w osmański plan podbicia tej należącej wówczas do Genueńczyków greckiej wysepki. Wtedy to po raz pierwszy znalazł się Kallimach w Konstantynopolu, a tam schronienie zaoferowała mu rodzina Ugolinich.

I oto, u progu roku tysiąc czterysta siedemdziesiątego, trzydziestotrzyletni Włoch napiwszy się solidnie z kielicha goryczy, wyruszył drogą przez Jassy w stronę Lwowa. Nawoływał go tam – poprzez jego florenckich krewnych – jeszcze jeden znany mu uprzednio humanista, peregrynujący po świecie już od dwunastego roku życia, Grzegorz z Sanoka.

Pod życzliwą kuratelą tegoż dobrodzieja, Kallimach nie tylko szybko podreperował skołataną duszę, ale wzniósł swoją poetycką lirę na niebosiężne wyżyny, wbrew może najbardziej narzucającej się logice. Był bowiem Kallimach poza wszystkimi innymi funkcjami, które pełnił, przede wszystkim poetą. Należał do tego samego rodu co ja. To na dworze Grzegorza w Dunajewie powstały jego elegie do pięknej Fanii, pośród których odnaleźć można i te dwa wersy:

Tylko mnie to odróżniało od umarłego człowieka,
Że mnie udręczał ból, którego nie zna trup.

Ważkie słowa. Niebawem i ja mogłem się pod nimi podpisać. Tyle tylko, że gdym już osiągnął stan wyżej opisany, nie miałem odpowiednich warunków do uprawiania poetyckiej twórczości.

W okresie dunajowskim Buonaccorsi do swojego dotychczasowego przydomku: Kallimach, obranego jeszcze za czasów rzymskich na wzór cyrenejskiego poety, dodał nowe nazwanie: Experiens – Doświadczony. Także w żywym obiegu – choć trochę za jego plecami – używano w stosunku doń innego imienia: Tuscoscyta. Kto słyszał o dzikim irańskim plemieniu i zdążył się już zapoznać z życiorysem Toskańczyka, nie zdziwi się zapewne, że i tym mianem obdarzano go po kryjomu.

Na marginesie przypomnę, że i ja nie nazywam się Celtis. Moje prawdziwe nazwisko brzmi: Pickel – Pryszcz. Niezbyt podniośle, prawda?

W efekcie rozmowy z Kallimachem na norymberskim zamku, pojawiłem się w krakowskim grodzie jako *extraneus*, czyli wykładowca zewnętrzny. Ktoś taki nie posiada prawa do wykładania na oficjalnych katedrach, mogąc to czynić jedynie w bursach. Te oficjalne zastrzeżone są wyłącznie dla scholastyków.

Rozdział 3

W Norymberdze nad dwiema brudnymi rzeczkami Pegnitz i Rednitz przebywam od bez mała dwóch lat. Na obrzeżach miasta wije się wąska droga, która wiedzie na wzgórze i tworzy tam rodzaj przedmieścia. W pewnym momencie budynki ustawione wcale gęsto wzdłuż jej krętej linii, zaczynają znikać bez śladu, a w jej regularnych rzędach pojawiają się coraz bardziej przepastne i nie kończące się przerwy, niczym w grzebieniu niszczonym przez rozbrykanych chłopców. Ostatnia ocalona kamienica rozwiewa się w powietrzu jak mgła, lecą spod stóp kocie łby, a wędrowiec niepostrzeżenie staje na progu kobierca z grubej, soczystej trawy. Właściwie, trudno tu mówić o jednym kobiercu – to raczej cała bogata ich mozaika, złożona z dużych płaszczyzn poprzedzielanych tu i ówdzie złotymi nitkami ścieżek. Doprawdy, imponujący widok!

Dopókim sam nie ujrzał tego trzcinowego arrasu, nie wiedziałem, że zieleń może przejawiać się w aż tylu odcieniach!

Miejsce to oprócz rzadko spotykanej kolorystyki posiada cechę jeszcze bardziej szczególną. Oto osoby, które znajdą się w polu jego oddziaływania, a mogę to stwierdzić nie na podstawie pogłosek, ale własnego doświadczenia, zaczynają odczuwać wywieraną na nie od dołu wydatną presję. Nacisk jest życzliwy, niemniej jednak przemożny; tak jakby uprzejmie sugerowano: „Uwolnij, przybyszu, kończyny swe od niepotrzebnego balastu!".

Wybrałem się w tę okolicę dla zrelaksowania umysłu jakieś pół roku temu. W norymberskim świecie panowała wówczas nietypowa aura. Dzień był wietrzny, niebo zaś zupełnie nietutejsze i mające w sobie coś olimpijskiego, w górze trwały nieustanne zapasy. Momentami nawałnica dosłownie wisiała na włosku. Lecz choć wydawało się, że już nic nie jest w stanie jej przeszkodzić, niespodziewanie nadlatywały złociste strzały Apollina, w ostatniej chwili przebijając się przez burzową materię, i ostatecznie to one celebrowały zwycięstwo. Jeżeli norymberczyk wtedy spojrzałby na firmament, nigdy nie uwierzyłby, że w ogóle mogło być inaczej. Z obłoków płynęło niewątpliwie pocieszające przesłanie.

Dla mnie miało ono szczególne znaczenie, gdyż – nie ukrywam – przeżywałem wówczas fatalny okres w mej plastycznej karierze. Czytelnik pozwoli, że poczynię pewną dygresję na ten temat.

* * *

Nie otrzymywałem mianowicie żadnych zleceń na grafiki, o rysunkach już wcale nie wspominając. Odnosiłem przy tym niemiłe wrażenie, że mój czas – jedyny dobytek, którego posiadałem pod dostatkiem – zaraz z rana prędko ucieka ode mnie i znika w szparach komnaty, niczym dym z zepsutego kominka. Opuszczając mnie zaś, nie raczy nawet wspomnieć słowem o terminie swojego powrotu.

W warunkach tej wymuszonej bezczynności, uwikłany w jej sidła, miotałem się pomiędzy dwoma wyczerpującymi biegunami: żałosnymi skurczami serca wywoływanymi podejrzeniem o własną bezużyteczność i niecierpliwie wyczekującą nowin samoakceptacją, która czerpała siłę z przekonania, że los nie pozostanie wobec mnie obojętny na zawsze.

19

Sądząc wreszcie, że jakakolwiek aktywność okaże się lepsza od tkwienia w martwym punkcie, wyszedłem zaczerpnąć powietrza; tym bardziej, że przez okno wkroczył zastęp słonecznych kosmyków i łaskocząc mnie w twarz, spowodował w końcu, że otworzyłem oczy. Opuszczając mą nieużyteczną pracownię, liczyłem także na spotkanie tej, która lubi czesać się na złotawo, Natury. „Ona, jak wiadomo, najdoskonalej leczy wszelkie ubytki wyobraźni, a i z ranami duszy – myślałem – nieźle potrafi sobie radzić". Bo czy widział ktoś u tej damy cokolwiek niepotrzebnego? Jakąś zbędność z uwagi na nadmiar lub niestosowność? Gotowy jestem postawić mą głowę – w obecnym jej stanie – że nikomu się to nie udało.

Z jej to, by tak rzec, punktu widzenia, nawet wytwory rąk ludzkich posiadają niezniszczalny sens. Ot, choćby te sympatyczne domostwa mijane właśnie przeze mnie po drodze. Jednakże grono właścicieli tych uroczych posesji, zauważyłem – i tu zapewne włączył się mój biegun negatywny – byłoby odmiennego zdania. Tragiczny stosunek tych nieszczęśników do dobra, które znalazło się w ich rękach, polega na tym, że za wszelką cenę starają się doszukać w nim braków i niedociągnięć. Krążą wokół niego jak wilki, obserwując go bacznie i próbując zaatakować w odpowiednim momencie. Szczególnie zaś zniesmaczeni bywają, gdy w ciągu całego dnia niczego godnego krytyki tam nie odkryją. „To musi być jakiś podstęp" – wzdychają ciężko, patrząc wieczorami w sufit i za nic nie mogąc znaleźć prawdziwej przyczyny swego niezadowolenia. To materialiści. Ludzie zapatrzeni w innych, których pasją wysysaną chyba z mlekiem matek jest śledzenie reakcji sąsiadów (także materialistów). Nie mogąc zaś doczekać się od nich aprobaty, rzucają się w szał gromadzenia coraz to nowych przedmiotów. W ten sposób, po jakimś czasie znikają za nimi i widać im tylko czubki głów. Oczy tych dziwnych skazańców, którzy sami wybudowali dla siebie więzienie, mrugają niespokojnie: wszak nie zapomniały one o konieczności sprawienia sobie jeszcze jednego upominku. To kamienny, ciężki nagrobek, z suto złoconym napisem, który nie pozostawia wątpliwości, kto będzie jego dumnym posiadaczem. Ach, ach, jakież podniecenie ich ogarnia, by zrobić dookoła trochę miejsca i jaka słodka satysfakcja po udanym manewrze!

Niestety, radość z odzyskanej wolności nie trwa długo. Właśnie dożyli dnia, gdy po wytężonej pracy muszą zasnąć na wieki.

* * *

Ja jednakże wtedy nie byłem już materialistą. A w każdym razie niebawem miałem przestać nim być. Stanąłem na skraju owego kobierca i naraz z moimi nogami poczęło się dziać coś niezwykłego. Najpierw spojrzałem w dół, żeby za nimi zawołać, bo najwyraźniej traciłem je bezpowrotnie! Zaraz też niezrozumiałemu procesowi podległo całe me ciało, a mówiąc szczerze – choćby nie wiem, jak absurdalnie to zabrzmiało – dwa moje ciała. Doznałem bowiem uczucia, że korpus znany mnie, Konradowi Celtisowi, jako mój własny bez mała od zawsze, „rozstępuje się" pod naporem niepohamowanych sił, nad którymi nie posiadałem najmniejszej kontroli.

Wyrażenie „rozstępuje się" biorę w cudzysłów, ponieważ miałem jednocześnie osobliwe wrażenie, że moja integralność nie tyle została zburzona, co swoiście poszerzyła się. Równocześnie coś tak samo nietypowego

zaczęło dziać się ze światem zewnętrznym. Podnorymberska łąka, którą do tej pory brałem za przestrzeń całkowicie ode mnie odseparowaną i niemającą ze mną nic wspólnego, wybrzuszyła się nagle, a cały dywan zaczął regularnie oddychać.

Jest chyba zrozumiałe, że w tym momencie nie byłem już zdolny do jakiejkolwiek decyzji, czy to wycofania się, czy przynajmniej namysłu nad tym, co wokół mnie się dzieje. Za długo widocznie zwlekałem i to kunktatorstwo wzięto za zgodę. Ktoś rozpiął szybko płótno mej woli na niewidzialnych sztalugach i począł kreślić na nim anonimowy obraz.

Wtedy też zaczęły do mnie docierać pierwsze wrażenia akustyczne. Początkowo usłyszałem jednorodny – z czasem zaś coraz bardziej narastający – szum, który wydał mi się odrobinę znajomy. Jednak z uwagi na zupełnie nieprzystające do jego występowania okoliczności, zrazu nie mogłem go rozpoznać. Wreszcie skojarzyłem: były to odgłosy morza. Szybko jednak i to okazało się pomyłką.

Z dobiegającego do mnie dźwięku fal, najpierw wyłoniły się słabe i pojedyncze, potem coraz mocniejsze i zbiorowe okrzyki, aż wreszcie rozległo się już całkiem wyraźne skandowanie. Miałem przed sobą tłum. Duże, rozkrzyczane zgromadzenie, być może nawet elekcyjne, bo we wznoszonych okrzykach odbijał się nastrój uroczystej czołobitności.

Kiedy rzesza ludzka ucichła, odezwał się mężczyzna, widocznie król. Mówił głosem donośnym, a ton jego świadczył o tym, że odnosi się do spraw istotnych. Miał w sobie, podobnie jak Kallimach, coś z aktora, zaś w jego głosie słychać było na przemian nuty umiarkowanej perswazji i gorącej prośby.

Dokonuję, rzecz jasna, relacji według stanu mojej ówczesnej, mocno drętwiejącej od śladów niewidzialnych pinesek świadomości.

Później długo zastanawiałem się, dlaczego to właśnie mnie spośród niezliczonego mnóstwa ludzi wysunięto na trybunę, z której pozwolono mi podziwiać owe niecodzienne spektakle. Obecnie mam na ten temat, nie wiem czy słuszne – ale sprokurowane z całym zapałem amatora – przypuszczenia, którymi przy okazji zamierzam dzielić się z Czytelnikiem.

Będąc jeszcze myślami w drodze na górę, wspomniałem, że moje interesy nie szły w tym czasie najlepiej. Z zazdrością przyglądałem się wystawionym na ladach norymberskich sklepikarzy rycinom, z których żadnej nie sygnowano moim nazwiskiem.

Teraz sprawy te nie zajmowały mnie już w ogóle.

Rozdział 4

Miasto, w którym spędziłem długi i niewdzięczny okres zaraz po moim nagłym opuszczeniu Krakowa, nie charakteryzuje się aż tyloma godnymi uwagi miejscami, co sławny gród nad Wisłą. Odkrywa je też niechętnie i kapryśnie – zawsze według swoiście nieobliczalnej sprawiedliwości – niczym zmanierowany despota. Zdarza się jednak, że to uczyni.

Jednym z takich rzadko odsłanianych zakątków jest francuska gospódka, znajdująca się przy spokojnej ulicy na północ o kilka przecznic od rynku norymberskiego. Rozkraczona na niskich drewnianych palikach i przykryta niebieskim dachem wygląda jak sarnię okryte derką, którego żółte ślepka okien wystają spod granatowej kołdry.

Zmarznięty i głodny, błąkając się bez celu ulicami Norymbergii, trafiłem kiedyś w to miejsce. Nie byłem wtedy w kondycji godnej pozazdroszczenia. Zaryzykowałbym stwierdzenie, że był to najgorszy z wszystkich czasów, jakie przyszło mi przeżyć. Może nawet – i proszę Czytelnika o wyrozumiałe przyjęcie na wiarę tej informacji, uwzględniwszy ówczesny stan mego umysłu – był to najgorszy czas, jaki w ogóle istniał na świecie.

Zaznaczam, że w tamtym akurat okresie na kwestie materialne nie mogłem specjalnie narzekać. Inny więc rodzaj przeżyć musiał być powodem mego fatalistycznego spojrzenia na świat. Najlepiej chyba będzie, jeżeli podam to Czytelnikowi w sposób opisowy, który uczyni rzecz bezpośrednio dostępną.

Wszystko zaczęło się od anonsu, który przeczytałem na dużym słupie ogłoszeniowym. Gigantyczna Wytwórnia Obrazków Popularnych „Femere", której nazwa znana była wszystkim norymberczykom – od przekupki do profesora uniwersytetu – poszukiwała „subtelnych mistrzów rysownictwa". Było to o tyle zaskakujące, że mimo jej *nomen omen* popularności, nikt z nią nie wiązał ambitnych działań artystycznych. Ze względu na, hm, nie najwyższy poziom klienteli tej wytwórni zadowalano się w niej głównie masowymi odbitkami.

Zatraciłem gdzieś wówczas przyrodzoną mi pewność siebie, a ponieważ nie posiadałem nikogo, kto mógłby mi dodać odpowiedniej zachęty do podjęcia starań o tę pracę, zmuszony byłem zrobić to sam. Zacząłem więc przywoływać w myślach własne atuty.

Po pierwsze, zwróciłem się do siebie w napominającym monologu, jesteś rzeczywiście artystą. Po drugie, jako prawdziwy artysta musisz wyróżniać się talentem jedynego rodzaju. Jeżeli cię zaakceptują – zyskasz tylko. Jeżeli zaś odrzucą, nie odrzucą jednego z wielu, lecz tego właśnie kim jesteś, wyjątkowego, co znaczy tylko tyle, że sami stracą.

Po tych dodających otuchy zabiegach, wyruszyłem czym prędzej, by nie utracić ich efektów, na egzamin do zbytkownej siedziby „Femere". Była to obszerna, ścięta od frontu rotunda z czerwonej cegły, z dwoma wieżyczkami po bokach, imitująca budowlę obronną.

Komisja cechowa, złożona z kilkunastu czeladników średniego szczebla, spoglądała na nas, jak mi się zdawało, trochę z góry.

Licznie zgromadzeni aspiranci – równie zabiedzeni jak ja i wyglądający trochę jak stadko szarych owiec – otrzymali na początek zadanie utworzenia konterfektu

Nysy. Było to wyzwanie rzucone ich technice i fantazji, ale także doświadczeniu. Mogli wykonać je tylko znający śląskie miasto. Tego dnia po wspomnianym masażu mentalnym byłem niezwykle skupiony, bez namysłu więc zagłębiłem się w temat. Skoncentrowałem uwagę na odmalowaniu fasad i dachów oraz na oddaniu nieprzypadkowego charakteru samych kształtów, które wytworzyły gęste skupisko brył geometrycznych – gigantycznych, choć jednocześnie lekkich jak latawce. Następnie na grubo zarysowane elewacje budynków narzuciłem siatkę portyków o bardzo różnej wielkości, dzięki czemu przedstawione przeze mnie pałace przybrały nieziemski i nieco niesamowity wygląd chtonicznych bóstw. Widziałem, że moja praca wywiera na członkach komisji spore wrażenie. Mimo to spostrzegłem, że patrzą na nas niechętnie, jakbyśmy wszyscy bez wyjątku byli intruzami.

Przyjrzałem się członkom komisji. Była wśród nich kobieta sterująca już ku podeszłemu wiekowi, z obliczem zmęczonym i nad wyraz zużytym. Był tam też młody, tęgawy mężczyzna o lekko sterczącej płowej czuprynie i wybałuszonych oczach. A także druga niewiasta sięgająca tamtemu do piersi niczym buława.

Na sali, w której zgromadzili się onieśmieleni pretendenci do upragnionej funkcji rysownika „Femere", zrobiło się trochę luźniej. Kilka osób, które nie miało nigdy okazji ujrzeć Nysy, opuściło ją. Pozostali popatrywali nerwowo na sąsiadów. Podczas pierwszego zadania czas wykonywanych prac nie odgrywał roli, lecz przy następnym zadaniu umieszczono przed nami klepsydrę. Dostaliśmy trzy kwadranse na sporządzenie serii doprawdy niełatwych szkiców.

* * *

26

Nad trzema świeżo pozyskanymi, młodymi pracowni-kami „Femere", w poczet których zaliczono i mnie, pieczę objęła białogłowa. Była to ta sama niewiasta o nadszarp-niętej fizjonomii, którą widziałem w komisji oceniającej.

Wyznam wprost, że owo znane nam dzisiaj zjawisko wysforowania się przed szereg niektórych kobiet – uwa-żam za rzecz złowieszczą! Istnieje bowiem typ białogłow-ski, do którego z pewnością należała nasza przełożona, co to z powodu jakichś krzywd doznanych na psyche cał-kowicie pozrywał kontakt ze swoją płcią! Węszę tu, na-wiasem mówiąc, rolę jakiegoś mężczyzny...

W powietrzu dała się odczuć kwaskowata woń, która przypominała mi coś znajomego.

– Witam panów! – nowa szefowa odezwała się do nas suchym, chropowatym głosem.

Zastosowała rzadko używaną formę „panowie". Nie ulega wątpliwości, że miała świadomość zawartej w niej aluzji. Zlustrowała nas surowym wzrokiem.

– Po uważnym zapoznaniu się z panów... – zakasz-lała gwałtownie – panów... pracami egzaminacyjnymi, stwierdzam z głębokim rozczarowaniem, że – rozkaszla-ła się na dobre i przestała dopiero pod koniec swojej wy-powiedzi, więc zabrzmiała ona trochę jak bełkot – mamy tu do dyspozycji... młodych fachowców, młodych, pod pewnymi warunkami dobrze rokujących fachowców... pod pewnymi warunkami.

Jej przygasłe oczy zaszły nieprzyjemną, łzawą mgiełką. Uśmiechnęła się do mnie niczym szalona albo jak... osoba będąca w objęciach dionizyjskiej obsesji. Przez chwilę pa-trzyła gdzieś w przestrzeń nieostrym spojrzeniem.

Następnie znów skierowała na nas zamglony wzrok. Wtem – ku powszechnej konsternacji – wyciągnęła bez-ceremonialnie rękę w moją stronę i pogładziła mnie po policzku. Było w tym geście coś tak nieosobistego, że poczułem się niczym polerowany mebel. Stałem blisko, przez co widocznie naraziłem się na udział w pierwszoplanowej roli.

Całość tej „ceremonii" wywarła bardzo niekorzystne wrażenie na mnie i na mych towarzyszach. Nie komentowaliśmy jej jednak, bo delikatna granica przyzwoitości nie została jednoznacznie przekroczona. W obecnej sytuacji, gotowi byliśmy wziąć tą bezczelność za dozwolone zmiany w stylu bycia, które gwałtownie zdobywały sobie dominację na naszych oczach. Ostrze krytyki skłonni byliśmy kierować raczej na siebie samych, ganiąc się za brak wylewności. Czyż sami nie sądziliśmy nieraz, że nasze wychowanie bywało zanadto rygorystyczne?

Mimo to, inauguracyjne spotkanie pozostawiło w nas niemiły osad. Po sali rozchodził się wspomniany zapach. Pewien ormiański kupiec w podobnej atmosferze namawiał kiedyś na krakowskim rynku do kupna ziół, które przywiózł z Indii. Przekonywał, że najbardziej służą one muzykom.

– Konopie, chlopie... Konopie, chlopie... – powtarzał niegramatycznie zachętę, przy czym długim patyczkiem mieszał je w okopconym kociołku, gdzie się prażyły.

Zapach, który teraz dochodził do moich nozdrzy, tylko lekko przysypany był blichtrem nowoczesnych urządzeń znajdujących się w wytwórni i aurą wymuszonego optymizmu, która także zdawała się wydawać specyficzny odór.

Warunki finansowe ustalono z nami na krótkim zebraniu, podczas którego dano nam odrobinę podbić cenę i z nikim nie targowano się przesadnie. Zapewniono nam pensję w wysokości trzech dukatów tygodniowo, co było znacznie powyżej naszych najśmielszych oczekiwań. Raz w tygodniu gwarantowano też darmową kąpiel w miejskiej łaźni, którą w tym czasie wynajmowała wytwórnia. Oprócz tego przysługiwały nam trzy razy na tydzień lekcje łaciny, udzielane przez najlepszych humanistów. Było to, niewątpliwie, znakomite uposażenie... Na pozór wziąć by je można za pławienie się w luksusach. Jak złudna jednak bywa światowa posypka! Dziś zrównałbym naszą trójkę z trzema taplającymi się w błocie warchlakami.

W istocie nasza radość nie trwała długo.

Był to – jak się okazało – okres próbny, który miał w nas wytworzyć uczucie przywiązania względem nowego chlebodawcy. W tym czasie panowała atmosfera niemal sielankowa, a godziny spędzone na rysunkach upływały nam, niczym orzeźwiający górski potok. I tylko zimne – mimo deklarowanej słownie aprobaty – spojrzenia naszej przełożonej zwiastowały, że taki stan rzeczy nie jest tutaj czymś najbardziej typowym. Wyczuwało się istnienie innego czynnika, który w tym cieszącym się na zewnątrz szacunkiem miejscu posiadał większość praw.

I rzeczywiście, po kilku miesiącach wypłynął on na powierzchnię. Od samego właściciela „Femere", *nomen omen* Czyńskiego (używam tu oczywiście spolszczonej formy tego nazwiska), nadeszło zlecenie, które uświadomiło nam faktyczną funkcję pełnioną przez nas pod jego przewodnictwem.

W tajnej instrukcji, dotyczącej portretów przeznaczonych na wysyłkę do Francji, zalecano nam ujmowanie małych chłopców w pozycjach niespotykanych publicznie. Zadanie szło w poprzek naszych zasad. Widziałem, jak moi najbliżsi sąsiedzi z chwili na chwilę tracą dobry humor, choć usiłują tego po sobie nie pokazać. Wyobrażałem sobie, że kurczą się wewnętrznie, jakby chcieli tym samym wywołać eksplozję od intymnego ognia, który z dawien dawna przenoszony jest w kolejne niemieckie pokolenia. A jednak nic się nie stało. Polecenie należało wykonać.

Bardzo posępne mamy dziś czasy i każdy widzi siebie w niewygodnej pozycji żebraka, kiedy inni pozbawią go doraźnego źródła utrzymania. A sytuacja taka wydaje mu się nie do odwrócenia. Toteż moi koledzy zaczęli układać się z własnym wnętrzem.

Nie obyło się oczywiście bez błyskotliwych argumentów. Jeden z nich stwierdził cicho, że granice „obrazowania naturaliów w sztuce są zmienne epokowo i nie należy trzymać się sztywno ustalonych wzorców, aby nie popaść w niedolę obskurantyzmu i estetycznej martwoty". Drugi, nieco zaskoczony jego inteligencją, odwołał się do „wartości antycznych" – popularnych zwłaszcza we Francji – i wypowiedziawszy z emfazą ów termin-zaklęcie, urwał wątek.

Ja zrobiłem inaczej. Naplułem na sztalugi i trzasnąłem w twarz naszą przełożoną. Po nieopatrzonych jeszcze kartą sękatych deskach moje plwociny spływały w dół, niczym brocząca gwiazda, która znika z firmamentu.

Spojrzałem na kobietę, zaciskając radośnie usta, na których czułem jeszcze resztki śliny, bo coś zaczęło się wreszcie w moim umyśle klarować. W jej oczach zobaczyłem strach. Jest cechą charakterystyczną tego nowego, nieco androgynicznego gatunku kobiet, że w ich nadmiernie surowej postawie tkwi jakiś element sceniczny. Maska na moment opadła z jej twarzy, ukazując miłą, prawdziwie ludzką panikę. Nie na długo jednak. Zawołała swoich pachołków.

Ci wynieśli mnie do pobliskiej drewutni i przez jakiś czas okładali sztachetami. Gdy porzucali mnie potem na bruku, była szefowa stała w oknie i długo przyglądała się, jak wstaję.

Rozdział 5

Nie rozdzierając szat nad tym, co się stało, zaraz po dojściu do siebie udałem się pod duży słup. Za wyjątkiem paru siniaków nie odniosłem żadnych poważniejszych obrażeń. Obejrzałem swoją dłoń – po przylgnięciu do policzka tej komediantki, pozostała na niej cała paleta barw, którą dama owa starała się zakryć przed światem prawdziwą historię wypisaną na swojej twarzy. Przez moment obserwowałem ją – mimo plastycznych doświadczeń – ze szczerym podziwem.

Przy słupie stało dwóch niezdecydowanych. Odeszli czym prędzej, kiedy za nimi stanąłem... Tym razem w oko wpadło mi ogłoszenie wykorzystujące herb Norymbergi. Wzrok mój przyciągnęła widniejąca na nim połowa czarnego ptaka, który nie bardzo mi się podobał. Uwagę zwracały schodzące w dół białe i różowe pasy, przywodzące na myśl drgającą zorzę. Stanowiły one pewną zachętę.

Dwóch pracowników chętnie zatrudniłaby młoda i prężna Oficyna Wydawnicza „Scholares", która posiadała liczne związki – głównie poprzez osoby autorów – z norymberskim uniwersytetem. „Scholares" była częściowo finansowana przez Cesarską Fundację Wspierania Druku, stąd niższy personel nie był nastawiony do siebie konkurencyjnie, przeważała postawa koleżeństwa i życzliwości. Im wyżej, tym atmosfera stawała się bardziej duszna.

W grę wchodziły dwa stanowiska: magistra edytorów, który miał sprawować pieczę nad końcowym stanem ksiąg opuszczających oficynę, oraz gońca. Ponieważ nie czułem się jeszcze na siłach, żeby ubiegać się o to pierwsze, dość odpowiedzialne stanowisko, zgłosiłem chęć pełnienia prostej i szlachetnej funkcji posłańca.

Stary mistrz o gęstej srebrnej czuprynie i długiej brodzie, przypominający postać z odwrotnej strony norymberskiej monety, rzucił na mnie okiem i zaczął wypisywać glejt. Umożliwiał mi on swobodne przekraczanie granic oficyny i legitymowanie się wobec adresatów przesyłek. Następnie wręczył mi go i, nie zadając zbędnych pytań, wskazał bramę za małym skwerkiem, na który prowadziło wyjście znajdujące się po jego lewej ręce.

Przystanąłem na chwilę na wąskim placyku przypominającym przedsionek. Wokół niego wznosiły się piętrzące się prawie do nieba surowe ściany bez okien, jakby ktoś wybudował nadziemne lochy – niekończący się wodospad szarości.

Moim zadaniem było rozwożenie partii nowowydrukowanych ksiąg do właścicieli sklepów i kramów, którzy wyrazili zainteresowanie ich sprzedażą. Używałem do tego małego wózka, na którym można było ułożyć nawet do dziesięciu tuzinów egzemplarzy. Po złożeniu dało się go przywiązać do pleców albo uchwycić w rękę. W ten sposób droga powrotna zmieniała się dla mnie w nader przyjemny spacer.

Szedłem rozsłonecznionymi ulicami Norymbergi i przyglądałem się białogłowom – przechadzającym się parami albo też w towarzystwie opiekunów i opiekunek – za których sukniami pomykały ich smukłe cienie, niczym gromadki elfów obiegających królowe. Wyobrażałem sobie, że któraś z nich skieruje na mnie swoje spojrzenie, a ja w nim rozpoznam nagle siebie samego, jakiego jeszcze nigdy nie znałem.

* * *

Na powtarzanej stale trasie pomiędzy oficyną a sprze-
dawcami znajdowała się jedna tylko przeszkoda, której
przebycie stanowiło dla mnie prawdziwą trudność. Były
to wysokie, kręte schody wiodące do siedziby wyższych
kontrolerów, które musiałem przebyć, kiedy sprzedawca
rezygnował z tytułu, do czego miał prawo na mocy zawie-
ranej z nim umowy. Na mnie spadał wówczas obowiązek
odebrania od niego całej lub tylko minimalnie uszczuplo-
nej liczby woluminów, co musiało odbywać się szybko,
bo straganiarz bywał wtedy w złym humorze i za jednym
zamachem pragnął dopełnić tej wstydliwej czynności,
jaką było według niego pozbycie się towaru bez pobrania
zań należytej zapłaty. Poza tym nie mogłem dzielić ksiąg
na mniejsze części z powodu niesłychanej liczby kradzie-
ży zdarzających się w naszym mieście. Ciągnąłem więc za
sobą mój wypełniony naukowymi rozprawami wehikuł, niczym niecodzienny krzyż, do którego prymitywni szyder-
cy w złym natchnieniu doczepili parę kółek. Wchodząc na
górę, boleśnie nadwerężałem sobie barki i dłonie, czując
w żyłach rosnący napór krwi, która w pewnych miejscach
wydostawała się pod powierzchnię skóry.

Raz przystanąłem przy małym okienku w połowie
drogi, żeby odpocząć. Pode mną rozpościerała się osza-
łamiająca panorama Norymbergi. Ulicą biegnącą w pobliżu „Scholares" poruszał się tłum. Drżał rytmicznie,
a półnagie postacie odchylały się do tyłu i zataczały
mniejsze lub większe koła. Przyjrzałem się im uważniej: to pląsawnicy. Zaraz zasadzą się na nich *circumlatores*. Pewnie już gdzieś tutaj są... Rozglądnąłem się.
I rzeczywiście: o kilka przecznic na północ zbierali się
już uzbrojeni strażnicy miejscy.

Tłum przesunął się w ich stronę, a ja na dole wypatrzyłem kobietę o jasnych, podobnych do lnu włosach. Musiały być bardzo gęste, bo nawet z tej wysokości tworzyły wyróżniający się układ. Serce zabiło mi mocniej. Rzuciłem wózek i zbiegłem na dół. Starzec-Moneta popatrzył na mnie w zdumieniu. Wypadłem na zewnątrz i zacząłem gorączkowo szukać jej sylwetki. Lecz po chwili uświadomiłem sobie, że to nie mogła być ona. Moja matka nie żyła już od lat co najmniej dziesięciu.

* * *

Na koniec tej wyjątkowej wysokogórskiej wspinaczki – obolały i wysmagany niewidzialnymi biczami – docierałem wreszcie do wzmiankowanej siedziby.

Naczelni korektorzy, z których każdy stanowił nieco mniej szlachetną kopię Starca-Mamony, z namaszczeniem i drobiazgowo sprawdzali stan odrzuconych woluminów. Zmuszony byłem stać w wyczekującej postawie, gotowy podejść na każde ich skinienie i udzielić zwięzłych, ale wyczerpujących komentarzy. Dotyczyły one warunków, w jakich przebywały księgi, oraz uwag straganiarza, które zechciał poczynić w mojej obecności. Zapobiegliwi kontrolerzy nie życzyli sobie, abym zabierał głos na temat, którego wcześniej sami nie poruszyli, albo żebym przekroczył wyznaczoną dla mnie miarę czasu. W rzeczywistości jednak traktowali swoją funkcję czysto formalnie i unikali zadawania mi pytań. Jak to często bywa w instytucjach opierających egzystencję o dwór, oddawali się swoistej celebrze, starając się nie zakłócać spokoju, który panował w ich świecie. Do tego pałacu z kości słoniowej woleli nie wpuszczać spraw małych i przykrych, których jedynym wysłannikiem, ale zarazem granicą, byłem ja. Zaangażowani w obronę dobrze rozumianego interesu, strzegli się, żeby pod żadnym pozorem jej nie przekroczyć.

Tkwiłem więc w miejscu – wyblakła roślina, z której uciekła zieleń – pośród szelestu grubych stronic, zapełnionych równie zamilkłym jak ich mowa językiem. Weryfikatorzy mojego książkowego zbioru nie zaprzątali sobie głów pojedynczymi ubytkami liter. Zwracali jedynie uwagę na karty wcale niezapełnione lub te, puste w połowie, które sprawiały im największy ból. Przy nich mentalność tych wysoko postawionych liczykrupów żaliła się jednakże głośno. Nie mogli przyjąć do wiadomości tego, że przepołowiony wiersz nie jest tym samym, co przekrojony bochenek chleba, lecz przypomina raczej zarżnięte niemowlę. Ten oczywisty prymitywizm był chyba jednak dla nich czymś wstydliwym, bo mimo westchnień, odkładali w końcu wybrakowany egzemplarz na kłującą w oczy, niczym grzechy wyznane na spowiedzi, stertę nieużytków. Trwało to około godziny.

* * *

W „Scholares" nauczyłem się też grać w perktona.

Była to doskonała zabawa, przynosząca chwile drogocennej radości, polegająca na trafianiu piłką w kwadratową tablicę na ścianie. Boisko do perktona znajdowało się na drugim z placów drukarni, wewnątrz zabudowań otoczonych zielonymi girlandami winorośli. Zbierano się tam po zajęciach i grano nawet do późnego wieczora.

Grupę perktonistów stanowiło kilkunastu mężczyzn należących do młodej kadry. Byli gorzej od innych opłacani, lecz mimo to nie tracili nigdy pogody ducha. Cechowała ich ta wyjątkowa twardość, będąca mieszanką dumy i humoru. Obcując z nimi, i ja nabrałem podobnej odporności. Wykonując napowietrzne ewolucje, paradoksalnie coraz mocniej stawałem na nogach.

35

W jednorazowej rozgrywce brały udział dwie drużyny kopaczy (bo mogli posługiwać się tylko nogami), każda licząca po sześciu zawodników. Punkt zdobywała ta drużyna, której zawodnik trafił perktonem w powierzchnię jednego z kwadratów zawieszonych po jednym na każdej zamykającej plac ścianie. Kwadraty umieszczone były wysoko, powyżej głowy dorosłego człowieka, więc ulokowanie w nich specjalnego pompona nie było takie proste, jakby się to mogło na pierwszy rzut oka wydawać. W dodatku oddanie strzału musiało być poprzedzone kilkoma podaniami wstępnymi. Ich liczba nie mogła być mniejsza od trzech, zaś drużyna przeciwna miała w każdej chwili prawo przejęcia perktona i skierowania go od razu na bramkę. Można było również bronić antagonistom dostępu do pól.

Stosowaliśmy najrozmaitsze uderzenia. Proste – podobne do kroku konia. Boczne – przypominające bieg rozbawionej dziewczynki. Wsteczne, czyli takie, które zazwyczaj wykonuje rozjuszony byk.

Jednym z najtrudniejszych i zarazem najlepiej punktowanych uderzeń było zagranie rozgwiezdne. Faworyzowałem je z uwagi na sentyment do nauki gwiaździarskiej mojego lechickiego nauczyciela, Alberta Brutusa, znaczącej postaci, o której będzie jeszcze mowa.

Żeby wykonać to zagranie, zawodnik musiał odbić się wysoko do góry. Następnie przebywając w powietrzu w pozycji odwrotnej do wybranego pola, uderzał piłkę stopą i, robiąc obrót do tyłu, lądował miękko na klepisku. Musiał wykazać się przy tym niezwykłą zwinnością, ażeby uniknąć poturbowania.

Było to moje ulubione uderzenie. Spędziłem wiele długich godzin na wyczerpujących ćwiczeniach w dniach, w których nie przeprowadzaliśmy gry, starając się doprowadzić je do perfekcji. Często trenowałem nawet nocą, kiedy do placu nie dochodził już żaden promyk światła. Kierowałem się wtedy wyłącznie intuicją. Rzucałem w górę ciężki, zaopatrzony w kokardę pompon, a następnie podążałem za nim, słysząc w powietrzu swój własny oddech i nie zdając sobie już za bardzo sprawy z tego, gdzie znajduje się niebo, a gdzie ziemia.

Bardzo lubiłem te moje nocne ćwiczenia. Bardzo lubiłem zmagać się z ciemnością. Słuchając trzepotu perktona, wyobrażałem sobie, że zapalam na niebie kometę, gwiazdę betlejemską, która zaprowadzi mnie do stajenki i miłego dzieciątka.

Odnosiłem wrażenie, że podobne chwile przeżywam już nie po raz pierwszy. Przed oczyma stawał mi obraz zupełnie innej nocy, która była szczególna i najczarniejsza ze wszystkich. Opanowała ona świat w najbardziej niezwykłym miejscu na ziemi. Była to noc, która rozświetliła moje życie.

Rozdział 6

Przed tym, o czym za chwilę opowiem, należałoby chyba pomóc Czytelnikowi w odgadnięciu zagadki: dlaczego, mimo że posiadałem wawrzynową koronę, nie pełniłem w tamtym czasie zaszczytnej funkcji poety, podejmując się nieraz zadań bardzo od niej odległych? Myślę, że powoli stanie się to zrozumiałe, jednak zmuszony jestem w tę sprawę wprowadzać Czytelnika stopniowo.

Otóż, w mieście, w którym spędzony czas zaważył na całym mym dalszym życiu, przeżyłem wielką i niespełnioną miłość, w wyniku czego doznałem głębokiego egzystencjalnego rozczarowania i pod względem twórczości wkroczyłem na jałowe pustkowie.

Niepośledni udział we wprowadzeniu mnie na ten teren miała Hasilina. Ta Czeszka zdolna była wywołać we mnie stan niezrozumiałej gorączki. Zobaczyłem ją po raz pierwszy na Rynku w Krakowie, kiedy kupowała sobie koraliki.

– Te? – powiedziała, nie wiedzieć czemu pytająco, i wskazała na niebieskie paciorki, które błyszczały pomiędzy innymi niegustownymi przedmiotami.

– Te – skwapliwie odpowiedziała straganiarka i pomogła jej przymierzyć korale. Niewiasta ze śmiechem zrobiła obrót wokół swej osi, jakby chciała zademonstrować wszystkim swoją nową ozdobę. Nie było jednak przy niej nikogo. W końcu dostrzegła mnie, stojącego w pewnej odległości i przypatrującego się jej. Odwróciłem szybko wzrok, lecz ona zdołała już przychwycić mnie na tym spojrzeniu i zawołała, jak mi się wydawało, z zakamuflowaną ironią:

– Pane, ładne?

Odwróciłem się.

– Ładne – odparłem.

– To dobre! – zaśmiała się wesoło.

Może posiadam jakieś specjalne predyspozycje do poznawania ważnych dla mnie kobiet w miejscach publicznych?

* * *

Do wspomnianej wyżej francuskiej gospódki wszedłem, aby posilić się i osłodzić nieco w jej przytulnym wnętrzu smętny żywot pracownika „Scholares".

Rozejrzałem się wokół siebie. Przy stołach siedziały syte, zadowolone osoby, które w skupieniu delektowały się miło pachnącym, ciepłym jadłem. Panowie mieli oczy poważne i okrągłe jak ołowiane monety. Panie zaś nieco zmrużone; ich opatrzone długimi rzęsami powieki wiodły dyskretny dialog z miękko osadzonymi w lichtarzach świecami, które po całej izbie rozlewały żółte, kojące światło.

W ławie naprzeciwko usadowiła się trójka niewiast. Dwie z nich zwrócone były do mnie twarzami, trzecia zaś siedziała tyłem i, sądząc po jej unoszących się co chwilę w górę łopatkach, o czymś usiłowała je z zapałem poinformować. Dwie młode białogłowy starały się jej poświęcać należytą uwagę, choć od czasu do czasu wymieniały spojrzenia, w których dostrzec można było cień rozbawienia i pobłażliwości wobec ich starszej mentorki. W pewnym momencie doszedł do mnie szept pełen oburzenia i cichej wymówki: „Siostro!", po czym jedna z niewiast, zacisnąwszy usta, utkwiła wzrok w talerzu z parującą zupą. Zieloną, więc zapewne groszkową, lub też szczawiową... Nie wiedzieć czemu ci Francuzi nie uznają zupy zrobionej z ogórków!

Naraz starsza jejmość podniosła się i głosem, który przypomniał mi palącą się bibliotekę, zionęła przez salę:
– Czy dziewka podejdzie tu wreszcie! Toż nasza zimna strawa czeka na doprawienie, niby jaki zdychający dzień na opieszały wschód słońca!

Jej zlepiona w płaskie kołtuny, stercząca fryzura przypominała trochę grzebień jaszczurki. Rozejrzała się po sali w poszukiwaniu sojuszników, ale ci odwracali głowy. Dopiero teraz zobaczyłem jej oczy. Były to dwie białe kule, połyskliwe jak porcelana, z widocznymi pośrodku węższego, czarnego rdzenia żółtymi krążkami źrenic. Sprawiały one wrażenie ciężkich i mogących dotkliwie porazić. Przy czym w chwili, kiedy się poruszały, ich szklista nawierzchnia zdawała się powodować niecodzienne skrzypienie.

– Potrzebuję pieprzu... – zamruczało smoczysko. – Czy to tak trudno zrozumieć?! – Jej dwie towarzyszki bez reszty wpatrzone były w swoje talerze. Wyglądało na to, że bardzo spodobał im się gruszkowaty kolor przysmaku, sporządzonego według francuskiej receptury. Oglądały go ze wszystkich stron, starając się wniknąć pod jego powierzchnię.

Znad lady ciekawie wychylił głowę pachołek, sprawdzając, jakie też go dziś czekają rozrywki. Druga z siedzących naprzeciw niewiast – ta, która nic jeszcze do tej pory nie powiedziała – podniosła dwoje zmrużonych oczu i utkwiła je dokładnie nad moją głową, chcąc uchwycić się trwałego oparcia. Jej spojrzenie znieruchomiało, a twarz przybrała kamienny wyraz.

Na dole, obok miejsca, gdzie przed momentem spoczęło cielsko zażywnej nestorki rodu, tworzyła się plama o złocistej barwie oleju słonecznikowego, szybko przybrawszy kształt jednego z europejskich mocarstw, którego nazwę ze względu na możliwe perturbacje dyplomatyczne, taktownie pominę.

Zatroskany czymś niepomiernie pachołek, który w jednej chwili zgubił gdzieś swój dobry nastrój, nadbiegł, wykonując w powietrzu rozpaczliwe gesty. Niestety w swej gwałtowności źle obliczył ostatni krok i, tracąc całkiem nad sobą kontrolę, runął na ziemię, przelatując aż do przeciwległej ściany. Przez chwilę leżał tam, nie mogąc zrozumieć, co się z nim stało, aż wreszcie podniósł się i ruszył wściekły w kierunku wiekowej pani.

Chwycił ją lekko za ramiona i wyniósł niczym worek na podjazd przed gospodą, gdzie stały konie. Wsadził oniemiałego bazyliszka do jednego z powozów, zatrzasnął za nim drzwi i kazał stangretowi ruszać w drogę.

Dwie córki rzuciły się za nim do powozu. Ta, która przedtem upominała o coś siostrę, nieco podobna do swej matki, wsiadła doń i odjechała, grożąc jeszcze przez okno pachołkowi.

– Alma mater! – zawołała co nieco bez sensu.

Druga natomiast postanowiła pozostać na placu.

Ja także wybiegłem z oberży, ale natychmiast wróciłem do środka, bo przypomniałem sobie, że przecież pozostawiłem tam wszystkie moje oszczędności. Widocznie postem, czekającym mnie przez szereg następnych dni, musiałem okupić się losowi za dobrodziejstwa, które wkrótce miały mnie spotkać. Wyraźnik (Czytelnik może nie wie – dzienny złodziej) już wziął moją sakiewkę i zdążył oddalić się przez tkwiące w błocie zabudowania gospodarcze. Widziałem tylko jak pomyka przez kolejny płot, oglądnąwszy się raz nerwowo za siebie.

Podszedłem do młodej białogłowy, która wciąż stała na placyku przed oberżą. Nie mogłem pozbyć się obrazu twarzy tego rzezimieszka, który zechciał pozbawić mnie mych ostatnich pieniędzy. Jego konterfekt nieustannie migotał mi pod powiekami. Młoda dama patrzyła za trzęsącym się po norymberskim bruku pojazdem. Już miałem odezwać się do zamyślonej dzierlatki, kiedy ponownie stanął mi przed oczami natrętny widok tamtego draba. Teraz widziałem go w okazałej kałuży znajdującej się u wejścia do gospody. Wychylał się aż do pasa przez okno, w ręce zaś trzymał sznur. A jednak błoto może się do czegoś przydać!

Skręciłem nieznacznie głowę ku miejscu, które wskazało wodne zwierciadło i kątem oka zauważyłem, że w końcówce sznura tkwi umieszczony haczyk. Zaraz przy pierwszej próbie wślizgnął się on z doskonałą łatwością pod rzuconą na ziemię kameę nanizaną na złoty łańcuch – musiał zostać celowo obciążony w przegubie. Sznur ze zdobyczą zaczął powoli unosić się ku górze. Widziałem już kiedyś taki srebrny sznur zwisający z nieba: nie stosuje się dwa razy tego samego chwytu.

Odwracając się bardzo spokojnie w przeciwną stronę, tak by sprawić wrażenie, że nie jestem świadomy jego zabiegów, wykonałem dwa kroki: jeden naprawdę mały, a drugi mający tylko niewielki kontakt z gruntem. Tajemnica tkwiła w tym drugim: wyskoczyłem w powietrze mniej więcej na wysokość wyciągniętych rąk i obrotowym uderzeniem kopnąłem w gruby ładunek haka, składając się zaraz jak wachlarz. Ociężała kamea zafurgotała w powietrzu niczym piórko, na koniec zaś dał się słyszeć głuchy, trochę zdziwiony jęk. Perkton... już starożytni doceniali wagę sportu. Dalej, można było rozpoznać dźwięk, dający się słyszeć przy rozbijaniu na patelni jaja, czy raczej całej ich kobiałki, i bezwładne ciało spadło na ziemię.

Z gospody wybiegł parobek.

– Co się stało?! – zawołał.

Popatrzyliśmy razem na leżącego w błocie rozbitka.

– Ten tu jegomość pozbawił mnie bezprawnie własności. Następnie uciekł, lecz widocznie chytrość zmąciła mu rozum, bo wrócił po zgubiony przez starszą panią naszyjnik. Parobek przyglądnął mu się.

– Znam go. To pachołek z „Femere", prowadzą jakieś interesy z moim szefem.

Zaprowadził mnie na górę. Stanęliśmy przed drewnianymi drzwiami, za którymi słychać było podniesione głosy. Umilkły, kiedy zapukał. Drzwi otwarły się i moim oczom ukazała się jedna wcale mi nie znana i trzy dobrze znane postacie.

– Miło znów zobaczyć starych znajomych – powiedziałem, wstrzymując oddech.

Twarz mojej szefowej pobladła, co można było dostrzec, mimo kilku warstw kosmetyków, którymi była pokryta.

Zza oparów dymu wyłonił się powoli profil prezesa Czyńskiego.

– Cuh va, cuh va, cuh va... – powtarzał niezrozumiałe francuskie przekleństwo. Dał znać pachołkowi, który kiedyś ćwiczył na mnie uderzenia drewnianym drągiem, żeby zablokował nam wyjście, ale ochroniarz z gospody okazał się dużo szybszy i o wiele, wiele mocniejszy. Ponadto pojawił się w jego oczach wyraz, który nie wróżył temu towarzystwu niczego dobrego. Zaraz też wysłał swojego pomocnika do norymberskiego ratusza, żeby powiadomił o wszystkim burmistrza.

Czwarta – nieznana mi – twarz należała do francuskiego pośrednika w handlu zakazanym towarem. Popatrzyłem na niego: a więc tak wygląda ktoś lubujący się w nietypowych i nielegalnie wykonywanych obrazkach małych chłopców?

* * *

Wróciłem do niewiasty na dole. Ciągle tam jeszcze była. Czekała na mnie? Wręczyłem jej brązową kameę, osadzoną w grubej oprawie i zawieszonej na jeszcze grubszym, bardzo ciężkim łańcuchu. Nietypowa proca Dawida miotającego nogami.

– Czy zechciałbyś waćpan służyć mi swoją asystą w drodze do domu? – odezwała się cicho.

Dwoje oczu, które przypominały kwiaty płynące w niezmąconej ciszy po powierzchni wysokogórskiego jeziora, patrzyły na mnie, wyczekując odpowiedzi.

– Czy zechciałbym? – wydusiłem.

Spojrzała na mnie. Nie odrzekła nic, tylko podała mi dłoń i poszliśmy przed siebie w milczeniu.

Obok mnie szło, trzymając mnie pod rękę, największe skupisko cudowności, jakie kiedykolwiek udało się ziemi zgromadzić w jednym miejscu. Podobna była do wysokiej trzciny, której cienki kołnierz skłania się delikatnie w dół pod wpływem omdlewającego u jej brzegów wiatru. Głowa jej była jak misterny abażur, gniazdo utkane przez gwiezdne ptactwo z srebrnej, drucianej siatki, przez które przebłyskiwały płonące ogniki oczu o kolorze świetliście szafirowym, który spotkać można chyba tylko w najwyższych sferach niebieskich.

Kiedy się poruszała, wydawało się, że to zastępy lilii wybierają się w podróż.

– A zatem trudnisz się waść zaszczytną sztuką rysowniczą? – przerwała w końcu kontemplacyjną ciszę.

– Tak, chociaż zaszczytu, rozumiesz waćpanna, to przy tej okazji mam niewiele – odpowiedziałem z uśmiechem.

– Dlaczego? Czy nie znajdzie się jakiś mecenas, który doceni młodego, zdolnego artystę?

Zarumieniłem się lekko.

– Wierzę, waćpanna – odchrząknąłem – że to nastąpi. Roześmiała się. Jej czoło, które przez chwilę zmarszczyło się w groźnym marsie, rozprostowało się w gładką jak tafla białego lodu powierzchnię. Ja także się roześmiałem. Śmialiśmy się długo i serdecznie. Już bardzo dawno – a może nawet nigdy – nie śmiałem się w ten sposób.

– O ooo! To dobre!... – wyrzucała perliste kaskady ma szaro-liliowa towarzyszka.

– O ho-ho-ho...! – wtórowałem jej, rozradowany niczym popielaty sokół, którego zaproszono do klatki z tłumem diamentowych myszek.

– Doszliśmy... – przystanęła wreszcie, próbując złapać oddech. Unosząc wzrok ku górze, omiotła nim wyższe piętro kamienicy.

– Jestem waćpanu niezmiernie wdzięczna... – powiedziała. W jej głosie dosłuchałem się nuty melancholii.

– Waćpanna wybaczy śmiałość, ale czy mógłbym...

Tym razem, jak mi się zdało, doszło mnie stamtąd leciutkie drżenie.

– Czy mógłbym pokazać waćpannie kiedy moje ryciny?

Zawahała się. Zamarłem – na moment odniosłem wrażenie, że mój organizm rozważa, czy dalej mi służyć.

– Odpowiadałaby waćpanu środa, około godziny piątej? – zapytała.

– Tak – odpowiedziałem i przełknąłem ślinę.

Popatrzyłem zamglonymi oczami tam, gdzie uprzednio i ona spojrzała – na górną część kamienicy; z centralnego okna wyglądało oblicze w przedziwny sposób nasuwające myśl o ukrytej jedności gatunku ludzkiego.

W rysach cudnej gładyszki znów gościł bezbrzeżny smutek sprzed godziny. Nic już nie powiedziawszy, rzuciła się na piętro, niczym Niobe ruszająca na ratunek swym dzieciom.

Na niebie pojawił się świetlisty punkt, który prędko przybrał formę cienkiego, promiennego strumyczka i zaczął zbliżać się do mnie. Przyglądnąłem się trochę lepiej temu, com ujrzał w oknie. Bynajmniej nie była to twarz, lecz, iżby się tak wyrazić, coś wręcz przeciwnego...

Uskoczyłem szybko w bok, żeby nie dostać od tej trefnisi solidniejszego prezentu.

Rozdział 7

W Krakowie przestrzeń miejska – zwłaszcza ta zamknięta w obrębie Ringu, głównej arterii otaczającej największy na świecie plac targowy – przypomina poletko do zabaw, na którym gigantyczne pacholę porzuciło swoje zabawki. W najbardziej nietypowych miejscach można w nim natknąć się na drewniane mostki łączące dwa suche miejsca oddzielone szkaradnym bajorem, które jakiś prywatny użytkownik postawił, nie licząc się z zasadami jakiejkolwiek symetrii.

Podobną funkcję pełnią głazy różnego koloru i wielkości, które zjechały jak na sejm ze wszystkich możliwych rzecznych wyrobisk. Tworzą one w obrębie Ringu imponującą kolekcję małych kopców – figur cieszących się w okolicach Krakowa nie spotykaną gdzie indziej popularnością. Co bardziej kulturalny przechodzień mimo woli ogląda się przy każdym z nich, czy też jego oryginalna powierzchnia nie ukrywa gdzieś charakterystycznego dla danej szkoły rzeźbiarskiej gmerku. Jest to dodatkowa i bardzo niebezpieczna pułapka dla roztargnionego konesera, którego w każdej chwili może potrącić koń lub ochlapać przejeżdżający powóz, wypisując na jego twarzy historię o wiele mniej ciekawą od tej skrywanej przez każdy z nich.

Identycznie rzecz przedstawiała się z gronem osób, które wyraziły chęć uczestnictwa w antyscholastycznym stowarzyszeniu, rodzącym się pod patronatem Kazimierza Jagiellończyka.

Był wśród nich i Jan Heydecke-Mirica, notariusz, właściciel ogrodów na obrzeżach Krakowa, w których rosły drzewa cytrusowe i wiodły żywot egzotyczne ptaki, sprowadzane przez niego z całego świata. Należał do niego i Jan Ursinus, lekarz, dusza towarzystwa i najlepszy kompan, jakiego da się znaleźć. Swoją obecnością zaszczycił nas także Albertus Brutus, mój mistrz i koryfeusz nauki gwiaździarskiej w prześwietnej Akademii. Niepoślednie miejsce znaleźli w nim również Jerzy Morsztyn, pieniacz i rajca, choć poczciwiec i Szwajpold Fiol, swoisty geniusz, co dzień wcielający w życie nową ideę. Mocne i trwałe liny zawiązali w tym kręgu obaj Rakowie – błyskotliwcy i oryginały, zaś funkcję pomocniczą gorliwie wypełniała para przedstawicieli młodego pokolenia – „modernistyczni poeci", Maciej Drzewicki i Wawrzyniec Korwin.

Na mnie jednak największe wrażenie ciągle robiła tajemnicza postać Kallimacha, który kroczył przede mną w stronę sali tronowej wawelskiego zamku.

– Nie jestem władcą ludzkich sumień - mówił król Kazimierz. – Nigdy żaden Jagiellończyk nim nie będzie. Losy waćpanów leżą w rękach Sarmatów! Ja ze swej strony zapewniam o swoim poparciu. Uczyniłem już zresztą pewien krok, a nawet kilka kroków, w intencji waćpanów... – Kazimierz Jagiellończyk wyprostował się, chcąc przybrać bardziej uroczystą postawę. – Stałem się oto pierwszym nadwiślańskim monarchą, który w tym celu poszedł na Jasną Górę.

Krocząc za owym toskańskim demiurgiem na krakowski zamek, nie wiedziałem jeszcze, że był on w swoim czasie preceptorem królewskich dzieci. Dlatego zdumiały mnie miny trzech dziewczynek, które przywitały go niczym wuja. Były to, jak miałem się potem dowiedzieć,

Barbara, Anna oraz Elżbieta Jagiellonki – przy czym ta ostatnia tylko mogła być uznana za dziecko. Nie wiem dlaczegom się tak zasugerował jej wiekiem, biorąc całe towarzystwo za infantylne. Może dlatego, że owa mała sześciolatka nadawała ton grupie – tak to już widać jest, że pewnym jednostkom przepisane bywa z góry stanowisko przywódcze i – rób, co chcesz – a nic w tej materii nie zaradzisz.

Mała rzuciła się Kallimachowi na szyję i oplotła go drobnymi rękoma, a jej gęste, kręcone włosy zmieszały się z jego czarnymi lokami. Przyznam, żem doznał ukłucia zazdrości w sercu i po raz pierwszy przyszła mi do głowy myśl, jakież to przyjemne uczucie by być musiało, gdyby to własna córka przybiegła witać mnie w ten sposób jako tatusia. Szybkom jednak pozbył się tej przemożnie niewygodnej i zupełnie niewczesnej refleksji, która zaskoczyła mnie, niby nagły, a ważny gość nieokrytego amatora łaźni. Zwróciłem się też zaraz do Kallimacha, co przy okazji miało mnie uczynić dworskim, bo mówią, że w tym miejscu nie wypada trzymać języka za zębami (tfu... niechże diabli tych pozorantów!):

– Widzę – rzekłem z przekąsem – żeś waćpan raczył do perfekcji wydoskonalić sztukę niańczenia dziatek! – Przypomniałem sobie jego niedawne, wojownicze potrącanie o miecz i tym bardziej jego sylwetka nagle wydała mi się śmieszną... Sprowokowało go to, więc zbliżył się do mnie.

– Waćpan wiesz, co jest w rzeczy samej zabawne? To, że pod słońcem nie znajdziesz niczego takiego, co by w całej swej pełni i wyłącznie nie było debiutem... – uśmiechnął się ironicznie. – Dlatego przybywanie tutaj – wykonał ręką gest, który sugerował, że chodzi mu zarówno o teren najbliższy, jak i tamten, sięgający daleko w nieskończoność – z garściami pełnymi gotowych, równo skrojonych odpowiedzi jest błahostką, wystawiającą jej autorowi wymowne świadectwo...

Poczułem się całkowicie zbity z tropu. Już po raz któryś z rzędu udało mu się wprowadzić mnie w stan podobnego zakłopotania. „Kto zacz?" – przyszło mi do głowy po raz wtóry. „Będziesz sobie, drogi Celtisie, musiał umieć na to pytanie udzielić prawdziwej odpowiedzi. W przeciwnym razie przyjdzie ci się faktycznie pożegnać z zaszczytną funkcją poety-laureata, którą nosisz przed ludźmi niczym pochodnię".

Rozdział 8

Jedną z burs, o których wcześniej powiedziałem, że były jedynym miejscem, gdzie mogłem prezentować publicznie swoje poglądy, prowadził Jan Sommerfeld z Łużyc, z uwagi na wielkie zamiłowanie do uprawiania tego specyficznego typu wiersza zwany też Rakiem Młodszym.

Jan Sommerfeld z Łużyc był najmniej zgłębioną osobowością, jaką spotkałem na swej życiowej ścieżce. W trakcie naszej znajomości zamienił ze mną może paręset słów. Wystarczyło. Co do jego małomówności – myślę, że nie dane mi było się z nią zetknąć przypadkiem, i podobnie jak oralna niemożność Jana Kunasza oraz semantyczny chaos Bernarda Wilczka – zapowiedziała późniejszy kryzys mej weny twórczej.

Mimo cichości tego niecodziennego milczka, pokochałem go jak brata – może dlatego, że nie znałem swojego rodzeństwa – i dałbym się za niego posiekać, gdyby zaszła taka potrzeba.

Jan Sommerfeld (co po łacinie brzmi Aesticampianus) potrafił w najodpowiedniejszym momencie wypowiedzieć najbardziej właściwe ze wszystkich możliwych słów.

– Nie – powiedział, kiedy zwrócono się do niego z sugestią, aby zakazać mojego odczytu, z którym zamierzałem wystąpić w dzierżawionej przez niego *Bursa Hungarorum*.

Tak on, jak i jego krajan, Aesticampianus Starszy, przeżyli w dzieciństwie identyczną, zabawną przygodę. Obydwu ojcowie powitali z tym samym zdumieniem w oczach na widok ich wzrostu. Zarówno Jan jak i Maciej ułożyli swe latorośle w drewnianych korytkach, po czym przyglądali się im z niedowierzaniem. Nogi chłopców wystawały mniej więcej do kostek poza granice łóżeczka.

Obydwaj mieli wygląd nieco żylasty i po równi odznaczali się dużą krzepą, co w przypadku starszego z nich – oddzielonego od poprzednika odległością lat kilkudziesięciu – nie było takie znowu zwyczajne. Obydwu natura obdarzyła niecodzienną fantazją i obaj też potrafili być zabójczo dowcipni.

W budynku zarządzanym przez Raka Młodszego, z którego okien widać kościół Franciszkanów, dlatego też ulica, przy której się znajduje, nazywana jest Bracką, mieści się na poddaszu mała, ale schludna klitka.

Siedziałem tam, miętosząc prześcieradło, kręcąc się nerwowo i przyglądając się dwóm dzierlatkom, które krzątały się w kamienicy po drugiej stronie.

Jan Sommerfeld siedział naprzeciw mnie i nic nie mówił.

– Raku – rzekłem wreszcie do niego – czy dałbyś rady mnie dziś tutaj przenocować?

Rak pokręcił głową.

Siedzieliśmy dalej w milczeniu.

– Raku – odezwałem się – a gdybym był chory, tak chory, że prawie umierający, nie zostawiłbyś mnie tutaj?

Rak popatrzył na mnie tylko, wstał i bez słowa wyszedł.

Na drugi dzień, wczesnym rankiem opuszczałem jego bursę z jedną z owych dzierlatek, które ukazały się w oknie naprzeciwko.

Rak czekał na mnie przy wyjściu. Spojrzał na nas i wręczył mi kartkę, z której wynikało, że cierpię na szczególne problemy brzuszne, mogące wywołać epidemię, co zobowiązuje mnie do zjedzenia w akademickiej infirmerii trzydziestu sześciu korzennych cukierków wywołujących reakcję womitywną. Po tym zabiegu przez czas jakiś stałem się tak szczupły, jak on.

Wysoki niczym drąg łużyczanin był też najlepszym słuchaczem, jakiego miałem. Kiedyś przyniosłem mu skomponowane przeze mnie trzy długie ody, w których roiło się aż od trudnych łacińskich terminów, ocierających się o granice czytelności i wymagających od słuchacza niezwykle wytężonej uwagi. Byłem pewny, że nie zapamiętał z nich ani ćwierci.

Jakże się więc zdziwiłem, gdy na mój odrobinę patetyczny komentarz do założonej przez nas właśnie Sodalitas litteRaria Vistulana – pisanej tak dla podkreślenia jej nowatorskości – powiedział, cytując mój utwór:

– *Commovefecit*! Bardzo mocno poruszyć! Oda ósma, wers ósmy.

Rozdział 9

Najważniejszym przeznaczeniem naszego na pół konspiracyjnego ugrupowania miało być zebranie rozproszonych wyznawców humanizmu w jednym ognisku, które dawałoby im większą moc sprawczą. W jej orbicie znaleźli się zresztą nie tylko członkowie uczelni, honorowanej przez nas ku czci starożytnych *Gimnazjonem*, i nie sami tylko krakowianie, lecz również osoby z dalszych stron – w tym kilka obcych nam ideologicznie, jak choćby biskup włocławski Piotr z Bnina, możnowładca i wierny sojusznik króla.

Oficjalnym celem Nadwiślańskiego towaRzystwa Literackiego było krzewienie kultury antycznej i przymnażanie chwały Akademii. Praktyka działania wykraczała jednak daleko poza ten filisterski program i w rzeczywistości przebiegała zgodnie z naszą prawdziwą dewizą: *Age et scribe* – działaj i pisz!

Główną funkcję w stowarzyszeniu pełnił Kallimach, co było zrozumiałe samo przez się i powszechnie akceptowane zarówno ze względu na jego wiek – był z naszej ścisłej czołówki najstarszy – jak i niebagatelne doświadczenie Experiensa. Niemniej jednak i mnie udało się wnieść pewien element w działalność sodalicji.

Siedzieliśmy właśnie w ogrodzie Ursinusa – o wiele skromniejszym od edenu Heydecke – i usiłowaliśmy opracować statut naszego nowego bractwa, gdy raptem pojawił się na trawniku Jan Kunasz na wozie zaprzężonym w cztery konie i przewróciwszy stół, z którego stoczył się dzban z winem, zatrzymał go przy nim tak gwałtownie, że zmęczone konie zaczęły się dusić. Następnie doszedł do nas ledwie słyszalny głos:

– Waszmościowie nie możecie beze mnie zaczynać, to wbrew wyznaczonym regułom.

– Reguły mówią, że nie wolno się spóźniać – Kallimach spojrzał na niego kwaśno.

Zapadło kłopotliwe milczenie, w czasie którego Jan Kunasz zeskoczył z wozu (ponownie wywracając stolik, ustawiony już przez Drzewickiego) i zasiadł między nami na czekającym go od dawna miejscu.

– Proponuję – rzekłem – aby wprowadzić nienaruszalną zasadę poruszania się na piechotę, skoro to ona okazuje się skuteczniejsza.

– I zbliża nas do lokomocji naturalnej, usuwając zbędny balast szkodzący uprawianiu filozofii – dorzucił Kallimach.

– Ten, który patrzy na świat ze swej latryny na kółkach, myśląc z pogardą o braciach dysponujących dwiema nogami, niech będzie wyśmiany po trzykroć! – dodał Ursinus i wzniósł kubek na znak toastu. – Zatem skończone – popatrzył na mnie i Kallimacha – wypijmy za nową konstytucję!

Drzewicki próbował ukryć uśmiech, zasłoniwszy twarz ręką.

Kallimach także uniósł swój kubek.

Zrobiło się uroczyście. Już po raz drugi – pierwszy raz doświadczyliśmy podobnego uczucia podczas rejsu na Wiśle. Na moment wszyscy doznaliśmy wewnętrznego oświecenia. Zobaczyliśmy gosposię, idącą do piwnicy po pełny bukłak wina. Jeszcze nigdy chód ludzki nie wydał nam się czymś tak doskonałym.

– Nie! To jeszcze nie koniec! – próbował zaprotestować przeciwko naszej decyzji zdenerwowany Jan Kunasz, lecz jego słabiutkie okrzyki, przypominające raczej kwilenie niemowlaka, nie zrobiły na nikim wrażenia. Jan Kunasz to jedyna łyżka dziegciu w niewątpliwej beczce miodu, którą było dla nas istnienie towaRzystwa.

Ten syn fornala został nam podrzucony, niczym kukułcze jajo, w najmniej sprzyjających naszej działalności okolicznościach. Nasz najwybitniejszy sodalita, najbardziej oczytany i najlepiej z nas wykształcony, Szwajpold Fiol, usiłował właśnie wtedy wydać dzieło, zawierające wszystkie najważniejsze utwory zachodnich humanistów. Podczas prac przygotowawczych wiadomość o tym przedostała się jakoś do rektora, którym niestety znów został zaprzysiężony przeciwnik *via moderna*. Ta dość odpychająca postać starała się jednak prowadzić grę na dwóch frontach, czując już widocznie, że wiatr wieje z innego kierunku.

Z tego powodu wezwał do siebie Kallimacha, mnie i Fiola.

– Waszmościе drukować będziecie zakazanych autorów – powiedział bez ogródek.

Kallimach popatrzył na niego twardo.

– Zakaz nie wszędzie już obowiązuje...

– Nie szkodzi! Nie jestem temu całkiem przeciwny! – rzekł uspokajająco. – Jedynie... chciałbym mieć także w tym swój udział. Wiecie, nowe czasy... Nie jestem takim ignorantem, za jakiego się mnie uważa!

– Czego wasza magnificencja sobie życzy? – zapytał Kallimach zimno i z ledwie skrywanym obrzydzeniem.

– Chcę... żebyście przyjęli w swoje szeregi mojego dobrego znajomego... Janku, wejdź!

Drzwi uchyliły się i do gabinetu rektora wszedł chudy wysoki mężczyzna o czarnych włosach przylegających do głowy tak ściśle, jak gdyby je ktoś wysmarował świńskim łojem. Poruszył ustami i coś wyseplenił, ale nic z tego nie zrozumieliśmy.

– To jest Jan Kunasz – wyjaśnił rektor. – Bywa poetą, jak waszmościowie! Oprócz tego interesują go konie.

Mężczyzna znowu próbował coś powiedzieć, z tym samym skutkiem co poprzednio, ale teraz jeszcze dodatkowo speszył się, więc zawstydzony opuścił głowę.

„Magnificencja" pokrył zakłopotanie ojcowskim śmiechem.

– Nasz początkujący Apollin chciałby posługiwać się w waszym gronie imieniem Pegaz – wytłumaczył.

– Z jego i waćpanów pomocą na pewno wedrze się niedługo na szczyty *ars poetica*!

– Będzie tych olimpijskich koni musiało być ze dwa tabuny – mruknął Kallimach, któremu przypuszczalnie niewiele osób z podwawelskiego kręgu było całkowicie nieznanych.

W takich okolicznościach krakowski stajenny, Jan Kunasz, został członkiem nowej grupy poetyckiej w mieście nad Wisłą.

Rozdział 10

– Janku Nasz! Mógłbyś mi podać talerz? – proszę Pegaza, a następnie odwracam się do pozostałych biesiadników, udając, że nie obchodzi mnie, co robi. Ten sięga po stojące na piramidce naczynie i podaje mi je, lecz ja nadal udaję, że tego nie zauważam. Wreszcie zniecierpliwiony, trąca mnie w ramię. Robię minę zaskoczonego:

– O, co ja tu mam?

– Masz talerz... – odpowiada Janek.

My, poeci lubimy robić sobie takie niewinne słowne żarciki.

Janku Nasz robi się na twarzy bardziej czerwony niż barszcz, który właśnie spożywamy przed winem w ramach naszego sympozjonu.

Jan Kunasz ma posadę masztalerza u Kazimierza Jagiellończyka i fakt ten stanowi ciągłą przyczynę jego wstydu. Ambitny koniarz zostałby rasowym łykiem, jak my wszyscy, a już największym marzeniem jest dlań chwila, gdy uzna się go za samodzielnego poetę. Nie masz jednak, nie masz u Janka talentu. Masz talerz.

– Janku Nasz, powiedz nam jakiś wierszyk...

– Deska... Na desce rozłożony koc w kraty... Poszedłbym spać na tej desce... Lecz mi się nie chce...

Wszystkich ogarnia nastrój powagi. Zastanawiamy się, biorąc rzecz serio, czy powodem melancholii, w którą od czasu do czasu popada nasz monarcha, nie są przypadkowe, niezamierzone kontakty z jego głównym stajennym.

Pewną troskę budzi też w sodalitach inna sprawa: czy Janku Nasz którymś ze swoich kolejnych wyczynów nie skompromituje nas tak kompletnie, że otworzy scholastykom drogę do wzięcia na Towarzystwie długo oczekiwanego, bezkarnego odwetu? Istnieje takie niebezpieczeństwo.

Próbujemy rozgryźć, na czym polega jego problem. Chodzi chyba o to, że Janku Nasz zabiera się do tego, o czym nie ma pojęcia. Wielu jest takich. Czy to w poezji, czy w muzyce, garną się całymi hordami na ten czy inny dwór, rozdziawiając paszcze już w sieni, nim ich kto jeszcze o to poprosi.

Niewątpliwie Janku Nasz ma nad nimi jedną przewagę: mówi tak cicho, że kapłan, który niegdyś udzielał mu ślubu, ponoć trzy razy prosił go o powtórzenie formy przysięgi, aż wreszcie zrozpaczony pozwolił, by tamten na znak zgody jedynie kiwnął głową. Podobno żona masztalerza dowiedziała się o tym, jak nazywa się jej kandydat na męża dopiero podczas jego drugiej wizyty u rodziców i to od ojca, który wziął ją potem na stronę i rzekł głosem pełnym powagi:

– Jan Kunasz.

– Słucham...? – zapytała przyszła Pegazica, bo tacie najwidoczniej udzielił się sposób wypowiedzi konkurenta.

– Jan Kunasz! – zagrzmiał ojciec i wtedy nasz siewca nieszczęścia odbił bardzo typowy dla siebie ślad, tym razem w biogramie swej narzeczonej. Mówią, że przyszła Kunaszowa bezradnie przypatrywała się, gdy jej wybuchowy tatuś, którego medyk dopiero co przestrzegł przed uleganiem afektom, spąsowiały niczym rzodkiewka, poruszał – całkiem już teraz bez efektu – ustami.

W ten oto sposób w jednej chwili zyskała męża i straciła ojca.

* * *

Śledząc bacznie krok konia, staramy się dociec, dlaczego przesławna stolica Sarmatów nie posiada jazdy jak inne miasta.

– Żeby zapobiec zrodzeniu się niechlubnej tradycji wyścigów na rydwanach – stwierdza Ursinus – jak to się stało w tej przesadnie wychwalanej dziurze, uchodzącej kiedyś za centrum świata.

– Ale jeżeli we wszechświecie ma zostać zachowana równowaga, to skłonności ludu do prymitywnych rozrywek muszą znaleźć jakieś ujście – zauważam sceptycznie.

– I pewnie znajdą... Osłem można zostać i na dwóch nogach. Jak oni siebie nazywali?

– *Factiones*. W skrócie: *fac*. Biali, Niebiescy, Zieloni i Czerwoni. Każda drużyna brała nazwę od swojej barwy.

– Zielonych pomińmy – perorował porwany natchnieniem Ursinus – to kolor włościański. Pozostają Biali, Niebiescy i Czerwoni. Przekonasz się jeszcze, że nasi zaczną naśladować – dosłownie – zwyczaje tamtych! Może najwyżej zmienią jakieś detale... Na przykład Czerwoni pomieszają barwy z Białymi i przywdzieją pasiaste koszule.

– Spójrz – chwyciłem Ursinusa za rękaw i wskazałem głową na wypomadowanego bruneta, który po drugiej stronie maneżu szeptał coś koniowi na ucho.

– Może zasięga opinii o niektórych pasażerach?

– Nie kpij, dwórki wymagają przecież specjalnych względów.

Podeszliśmy do niego.

– Ejże, Koniku... – zagadnął Ursinus – zamierzasz go wyuczyć łacińskich słówek?

Masztalerz odwrócił się. Przez chwilę ruszał wargami, jakby chciał coś powiedzieć, a następnie znowu pochylił się koniowi do ucha.

60

Podeszliśmy bliżej. „Konik" ciągle przekazywał coś szeptem zwierzęciu. Wreszcie koń, zdaje się, zrozumiał. Ruszył do przodu, zrobił parę kroków, zatrzymał się, znowu ruszył... Popatrzył na tresera, odwrócił łeb i pomaszerował środkiem placu do ogrodzenia. Powiedliśmy za nim wzrokiem. Gdy spojrzeliśmy ponownie na naszego nowego znajomego, zauważyliśmy, że zrobił się bardzo blady, a w kącikach jego ust pojawiły się kropelki śliny.

Janku Nasz krzyczał. Koń jednak najwyraźniej nic sobie nie robił z jego wybuchu gniewu. Położył brodę na barierce i jeździł nią smutno tam i z powrotem.

U wejścia do maneżu pojawił się starszy mężczyzna, na którego widok koń ożywił się i zarżał radośnie. Mężczyzna szedł ku nam. Mimo podeszłego wieku było w nim coś młodzieńczego.

– Wojciech de Brudzev, profesor astronomii – skinął lekko głową mnie i Ursinusowi. – Co słychać u mojego Siwka?

– Nauczył się już chodzić na komendę – powiedział ciemnowłosy stajenny. (Cytuję tutaj tekst jego wypowiedzi na podstawie późniejszej relacji Brudzewczyka, gdyż nie muszę chyba wyjaśniać, że ani ja, ani Ursinus nie zrozumiał z niej nawet jednego słowa.) – Poza tym potrafi także skręcać w lewo, choć nie zawsze w pełni odpowiada to wydanemu rozkazowi. Będzie trzeba nad tym jeszcze popracować...

Ku zadowoleniu siwosza przyszły sodalita pogłaskał go po kwadratowym nosie i rzekł:

– Janie, czy nauczysz mojego konia reagować na polecenia tak szybko, jak to tylko możliwe?

– Tak, panie profesorze.

Jan Kunasz stał ze złączonymi nogami i ze spuszczoną głową. Profesor natomiast chwycił konia za uzdę

61

i poprowadził go w kierunku wyjścia. Popatrzyliśmy na stojącego wciąż ze smętnie spuszczoną głową masztalerza.

– Chodź z nami – Ursinus poklepał go pocieszająco po plecach, a i mnie zrobiło się go żal. – Potrzeba nam takich jak ty! Kto wie, czy z twoją pomocą nie pokonamy jazdy świata?

Rozdział 11

Ten sługus rektorski potrafił nas czasem doprowadzić na skraj rozpaczy.

Pewnego dnia, wraz z Hasiliną i Janem Sommerfeldem, postanowiliśmy wybrać się do solin wielickich, żeby obejrzeć sobie ową krainę „cienistego Tartaru", o której pisał nasz Korwin. W rzeczywistości, chciałem być sam na sam z Hasiliną, a niezastąpiony Sommerfeld (który cierpiał, jak się później dowiedziałem, na klaustrofobię) nie odmówił nam swojego towarzystwa. Nie wypadało nad wyraz szacownej białogłowie wybierać się samej w tak długą podróż.

Nie wiedzieć skąd, pojawił się Jan Kunasz na swoim czworokonnym rydwanie i, ochlapując Hasilinie suknię, zatrzymał się przed nią, zapraszając swoim cichym głosem do środka.

Zwykle małomówny Jan Sommerfeld tym razem nie odzywał się już w ogóle, przygnębiony czekającą go perspektywą zejścia pod ziemię. Kunasz, siedzący na koźle, nie stanowił atrakcyjnego partnera do rozmowy. A Hasilina nie mówiła ani po niemiecku, ani po łacinie, ani po polsku – z którego to języka nawet i ja rozumiałem parę słów. Mówiąc wprost, stanowiliśmy szczególny zespół konwersatorów.

Zjeżdżając w głąb kopalni, pozostawiliśmy naszego firmowego woźnicę na zewnątrz, powierzając mu zadanie opieki nad koszem spuszczającym nas na dół. Kosz ten miał czekać na nas, przywiązany do powozu i gotów w każdej chwili ruszyć do góry – na czym specjalnie zależało nieszczęsnemu Sommerfeldowi. Biedak trząsł się cały jak pies oblany zimną wodą, myśleliśmy jednak, że to z powodu chłodnego powietrza, które znajduje się w kopalni. Nie przestawał jednak gwałtownie dygotać, więc zbliżyłem się do niego i zapytałem, co mu jest.

– Boję się *Tartaru...* – wyszeptał.

– Czego? – zapytałem, bo wydawało mi się, że nie zrozumiałem.

– *Tartaru...* – wskazał palcem w kierunku ciemnego korytarza.

Potem Ursinus wytłumaczył mi, że istnieje takie schorzenie, które nazywa się klaustrofobią. Chorują na nią zwłaszcza ci, których w młodych latach przetrzymywano w zbyt kusym łóżku.

– Jak można ci pomóc? – pochyliłem się nad nim.

– Do góry... – wolno przesunął palec w stronę jasnego kółka, które widniało nad nami.

Podszedłem do zwisającego z otworu sznura i pociągnąłem zań kilka razy. Jedynym tego widocznym rezultatem było lekkie rozchwianie się kosza.

– Zabiję chabetę – ślinił się Rak, czerwieniejąc na myśl o Pegazie. – Idę o zakład – wycedził przez zaciśnięte zęby, oddychając płytko jak dyszący pies – że dorwał go *furor poeticus*.

I rzeczywiście, Jan Kunasz w tym czasie naprawdę uległ natchnieniu.

– Wiecie, że w takich chwilach przestaję nad sobą panować... – perorował z cichą histerią.

Obcując z Konikiem, nauczyliśmy się już odczytywać główny sens jego wypowiedzi z ruchu ust.

– Chciałby nacieszyć się solą – zacytował Kunasza Sommerfeld.

– Pozazdrościł nam naszych atrakcji! – podjąłem radośnie. Po minionych przeżyciach, bez wcześniejszych uzgodnień doszliśmy do wniosku, że nie zrozumiemy tego, co nam powiedział.

Wsadziliśmy machającego kończynami w niemym proteście Pegaza do wiklinowej windy. Po chwili zniknął w wielickiej czeluści. Ostatni turysta, należący do ostatniej eskapady, prowadzącej tylko w jednym kierunku.

– Liczę na to – wyznał Jan Sommerfeld - że sąd Corvinusa o *kraju pogrzebanych* został przez niego wydany po szczegółowych oględzinach tego miejsca. – Było to jedno z najdłuższych zdań, jakie usłyszałem z jego ust.

Wawrzyn Korwin był autorem małego arcydziełka – ody saficкiej na temat Krakowa i jego niezrównanych okolic. Wątpię, czy powstanie w tym zakresie coś ponad jego osiągnięcie.

– Te! – ucieszyła się Hasilina i zaklaskała z entuzjazmem w dłonie. Przed nami ciągnął wóz z ogromnym, martwym cielskiem żubra. Prawdopodobnie został niedawno upolowany w niedalekiej Puszczy Niepołomickiej, a teraz udawał się na Wąwel, gdzie oczekiwał go zaszczyt bycia zjedzonym. Mijając go, widzieliśmy jego wielkie, martwe oko, które patrzyło na nas, jakby chciało nam powiedzieć: „I jaki tam ze mnie król puszczy?".

Hasilina ścisnęła mocno moją rękę.

Nie zawsze tak było. Nieraz dawała mi się dotkliwie we znaki.

Rozdział 12

Było tak, choćby na spływie zorganizowanym przez nas Wisłą z Krakowa do Gdańska. Zamierzaliśmy dopłynąć aż do wielkiego Germańskiego Morza, zwanego Bałtykiem. W wyprawie postanowili uczestniczyć członkowie nowego towaRzystwa oraz niektóre niewiasty będące ich muzami, w tym moja Hasilina.

Kallimach, który przejawiał już od swojej grecko-tureckiej przygody upodobania marynarskie, sprowadził od swych bogatych krewnych, Thedaldich, dzierżawiących Żupy Lwowskie, wspaniały statek, przywodzący na myśl okręty, jakimi starożytni mogli pokonać Persów pod Salaminą. Na dziobie i rufie miał ustawione dwa skrzydlate lwy z głowami orłów o przerażającym wyglądzie, strzegące na rozkaz Neptuna jego nieprzebranych skarbów. Jego pokład zbity był z desek, których złocisto-pomarańczowy blask zlewał się w jedną olśniewającą substancję z promieniami zachodzącego słońca. Polska rzeka wyglądała przy nim niby niebieska wstęga oplatająca nieziemsko piękną kobietę.

Żubra, takiego właśnie jak przy wyjeździe z Wieliczki, choć w stanie bez porównania dlań bardziej fortunnym, zobaczyliśmy już na Mazowszu. Wyszedł z lasu i zbliżał się do rzeki, chcąc zapewne skosztować wody. Nagle zza drzew wypadł odziany na zielono człowiek i wbił włócznię silnie w jego bok. Zaraz potem zniknął na powrót w zaroślach.

Żubr uniósł znad wody rogaty łeb i łypnął kątem oka na włócznię. Następnie odwrócił się błyskawicznie w stronę lasu i z mocą zaatakował jedno z drzew. Na to tylko czekał ukryty w kniejach myśliwy. Znów podbiegł do niego i wbił mu w bok kolejną włócznię. Żubr dwukrotnie potrząsnął głową i zaparskał, jakby chciał pozbyć się wywołanego uderzeniem zamroczenia, lecz dziecinny ten zabieg nie powiódł się. Widząc, że zwierzę – w którego ciele tkwiły dwa zatopione ostrza – nie jest już w stanie odzyskać sił, pozostali myśliwi wybiegli z lasu i otoczywszy go, raz za razem zaczęli zadawać mu śmiertelne ciosy.

Odwróciłem się zniesmaczony. Podszedłem do Raka, który także nie mógł patrzeć na to widowisko i usiadłem obok niego.

Hasilina natomiast była zachwycona. Klaskała w dłonie, śmiała się i pokazywała na żubra, który ostatni raz z wysiłkiem uniósłszy łeb, znieruchomiał.

– Żuber! Żuber! Te! Te! Te! – śmiała się wesoło Hasilina.

Rak popatrzył na mnie bez słów. Podszedł do burty, chwilę myślał, a potem postanowiwszy orzeźwić się w chłodnej wodzie, wziął rozmach i wskoczył głową do Wisły. Pogrążył się w błękitnych nurtach.

Tenże Rak miał swojego imiennika – zarówno pod względem imion rodowych, jak i przydomku – Jana Aesticampianusa Starszego. Obaj pochodzili z tego samego Sommerfeld w Dolnych Łużycach, z tym, że profesor Aesticampianus był o pokolenie starszy. Urodził się na długo przed Kallimachem, mimo to podporządkował mu się, nie przejawiając najmniejszych ambicji przywódczych. Prym bezdyskusyjny w naszym gronie wiódł – jak się rzekło – Toskańczyk.

Podczas rejsu na Wiśle Jan Aesticampianus Starszy opowiedział nam pewnego wieczoru wcale ciekawą historyjkę:

– Grek o imieniu Karkinos – powiedział, a jego szpakowata broda połyskiwała w świetle księżyca – przybył kiedyś na teren dzisiejszego Krakowa i założył miasto. Sprawował szczęśliwie rządy, lecz któregoś dnia dała o sobie znać klątwa, która ciągnęła się za nim i jego rodziną. Karkinos ów wywodził się od Raka, którego Hera nasłała na nieślubnego syna Zeusa, Heraklesa. Ten to Rak zdołał ukąsić herosa w piętę, po czym jednak został przez niego rozdeptany. Hera, chcąc mu wynagrodzić jego poświęcenie, wyniosła go aż na sklepienie nieba, skąd świeci jako gwiazdozbiór Raka – widoczny od strony Sarmacji w czasie zimy. Podobno jednak w czasie starcia z Herkulesem Rak nie okazał się całkiem wiernym sługą i zaczął z nim pertraktować. Wyniknęła z tego klątwa, której dziedzicami stało się pozostawione przez niego na ziemi potomstwo. Raz do roku, latem, muszą oni wyjść ponownie na spotkanie z mocarnym synem Zeusa i przeciwstawić mu się tym razem stanowczo. Dzieje się to około połowy lipca.

Zmuszony był to także uczynić Karkinos. Pewnej nocy, opuścił swoją siedzibę na wzgórzu i udał się ulicami Krakowa, aby spotkać swój los. Nikt nie wie, co wówczas uczynił. Nikt nie wie, czy rzeczywiście stawił czoła wrogowi jego praojca. Jedno jest pewne, że od tego czasu raki są bardzo popularne w Krakowie, stąd też chętnie łowione w bagnach Żabiego Kruka i innych okolicznych mokradłach.

A teraz uważajcie na to, co powiem: imię Karkinos, czytane wspak, czyli na sposób wybitnie raczy, brzmi Soni Krak, co po słowiańsku tłumaczymy syn Kraka.

– Czy to wyłącznie dlatego profesor obrał, tak jak obecny tutaj poeta, Rak Młodszy, identyczny literacki pseudonim? – zapytał Kallimach, który znał profesora i czegoś mu najwyraźniej brakowało w tym prostym wyjaśnieniu.

– Istotnie, nie tylko – odrzekł profesor. – Także i z tego powodu, że treść tej starożytnej opowieści odczytać można równie przewrotnie, co imię jej bohatera. Otrzymamy wtedy figury: Boga Ojca (Zeusa), Maryi (Hery) i Adama (Raka). To tego ostatniego zranił w piętę Wąż-Herkules, zaś Bogini-Niewiasta jest tą osobą, która w przyszłości ma „zmiażdżyć mu głowę". Potomstwem Raka byliby zatem wszyscy ludzie.

Po wypowiedzeniu tych słów po raz pierwszy w historii naszego towaRzystwa uczuliśmy, że w powietrzu zawisło coś uroczystego.

– Czy padła gdzieś data tych niezwykłych wydarzeń? – zainteresował się młodszy z łużyczan.

Hasilina nic nie mówiła, tylko wpatrywała się w pokład.

– Twierdzi się – odparł mu z namysłem starszy pobratymca – że chodzi o noc z dwudziestego trzeciego na dwudziesty czwarty lipca.

– To już niedługo – zauważyłem. – Przygotowuję na ten dzień odczyt.

Był rok tysiąc czterysta osiemdziesiąty dziewiąty. Nad nami mrugały gwiazdy.

Rozdział 13

Jana Sommerfelda Młodszego nazywaliśmy – zgodnie z jego życzeniem – Rakiem Młodszym, natomiast profesora Jana Sommerfelda, analogicznie – Rakiem Starszym.

Ten akademik o żywym umyśle sprawił, że ja, podobnie jak Kallimach – choć on miał ku temu wielorakie i znaczniej poważniejsze powody – zapłonęliśmy głębokim i trwałym uczuciem: Buonaccorsi do swojej nowej, ja zaś do... starej ojczyzny. Nie wspomniałem o tym szczególe, kreśląc sylwetkę mej matki, gdyż nie afiszowała się ona ze swoim pochodzeniem. Teraz jednak wydaje mi się ono interesujące i godne podkreślenia: otóż pochodziła ona z kraju nad Wisłą. Od czasu mojego powrotu z Krakowa lubię w myślach nazywać ją matką-Polką.

Także mój niezastąpiony nauczyciel matematyki, którego w odzie skierowanej do niego ośmielam się zwać „ojcem", Albertus Brutus (vel Wojciech Brudzewski), znacznie przyczynił się do mojej lechickiej inkulturacji. Mąż ten miał całkiem odmienne podejście do swego dziedzictwa, aniżeli dawca mego naturalnego żywota (świeć Panie nad jego duszą! Poczciwcowi zmarło się niedawno, o czym poinformowano mnie listownie).

– Waćpan chyba nie interesujesz się zbytnio tym, co mówię – rzekł do mnie, widząc, że w czasie jego wykładu – gdyż w krakowskim *Gimnazjonie*, oprócz udzielania nauk, sam dodatkowo studiowałem – kreślę na mym papierze jakieś litery. – Nie szkodzi – zawyrokował. – Zapomniałbym, że astronomia jest jak poezja – uśmiechnął się do swoich dalekich myśli – wszyscy obracamy się wokół Słońca.

Podsłuchujący nas opodal Kopernik notował coś skrupulatnie. Założę się, że ten zakompleksiony plebejusz i karierowicz bez pardonu przywłaszczy sobie kiedyś poglądy mojego mistrza.

Właściwie z czystym sumieniem mogę dziś stwierdzić o sobie, że jestem polskim poetą żyjącym w Norymberdze, choć do końca pobytu w sarmackiej stolicy uważałem się w całości za dzierżawcę teutońskiej liry.

Płynąc Wisłą i obserwując fale, które rozbijały się o burtę naszego solarnego okrętu, przypomniałem sobie o wizycie, którą kilka dni temu odbyłem w domu jednej z niemiecko-krakowskich rodzin.

W ich posesji mieszczącej się przy Bydlnej, którą to uroczą uliczką pędzi się zwierzę na ubój, odbywało się przyjęcie na cześć córki, ja zaś miałem je uświetnić jako „słynny germański poeta". Głowa rodu zamierzała przekazać jedynaczce część majątku. Pod warunkiem, oczywiście, jej wcześniejszego zamążpójścia. Gospodarz poczynił w tym celu pewne zapisy: przeznaczył dla niej kamienicę przy Ringu, tuż obok kościoła Mariackiego, bogaty kram w Sukiennicach oraz trzy tysiące florenów, które miały jej być wypłacone w dwóch równych ratach w pierwszym i drugim roku małżeństwa.

Moim zadaniem było nadanie merkantylnemu, bądź co bądź, wydarzeniu, w rzeczywistości odbywanemu ku czci jej szczodrego opiekuna, charakteru bardziej symbolicznego. Miałem odczytać wiersz zawierający odpowiednią liczbę elementów uwznioślających i niepozbawiony cech panegiryzmu, aczkolwiek przekazywanego ze smakiem i dyskretną asekuracją, opierającą rzecz całą o schemat bardziej ogólny.

71

Zacząłem od odwołania do Apollina, który jako opiekun sztuki, a równocześnie bóg rozumu i światła, budził właściwe skojarzenia i ustawiał przedmiot opisu w pożądanym kontekście.

Następnie przeszedłem do apostrofy skierowanej do wyśnionej niewiasty – prawie bogini – o wiele mówiącym dla mnie imieniu Hasilina. Zadałem jej tam pytanie, na które nie mogłem spodziewać się dobrej odpowiedzi, a mianowicie, o powód nie przyjścia na umówione ze mną spotkanie. Nie licząc zbyt na to, że usłyszę przekonujące usprawiedliwienie, stawiałem sam tezę na temat powodu jej nieobecności. Pełen bólu i rozgoryczenia wyrażałem przypuszczenie graniczące z pewnością, że nie kochała mnie ona prawdziwie, lecz tylko znalazła sobie upodobanie w pięknej, co prawda, niestety niezwykle ulotnej fantazji na mój temat, jaką podsunęła jej któregoś letniego popołudnia podstępna Afrodyta.

Nieliczna publiczność przyjęła z uznaniem moje wystąpienie. Poczęstowano mnie kawą i ciasteczkami, a urocza córka gospodarzy obdarzyła nad wyraz życzliwym i wyjątkowo długim spojrzeniem, co stanowiło nie byle zaszczyt dla osoby przebywającej po raz pierwszy pod jej dachem.

Pomyślałem nawet przez chwilę, że zagrzeję tutaj nieco dłużej miejsca, jednak zadzwoniono na służbę, a ta przyszła i dość stanowczo zaczęła wynosić z komnaty zużytą zastawę.

Wstałem i pożegnałem się jak najuprzejmiej z gospodarzami, dziękując im za zaproszenie i wyrażając nadzieję, że „moje nieudolnie złożone wiersze" choćby na jeden moment, na zasadzie dalekich skojarzeń wywołały u nich echa celtyckiej muzy, której jedynymi spadkobiercami winni być dzisiaj Germanie.

Wysłuchali moich podziękowań i dezyderatów grzecznie, jednakże miałem wrażenie, że myślą już o czymś innym. Pan domu nie patrzył na mnie, kiedy podawał mi na pożegnanie rękę, a i jego latorośl jakoś zdawkowo i pośpiesznie towarzyszyła mi przy wyjściu. Schodząc po schodach, zastanawiałem się, czy i kiedy będzie mi wolno ich ponownie odwiedzić? „Nigdy, Celtis! – odpowiedziałem sam sobie po chwili – pod wpływem nagłego olśnienia. – Czy nie widzisz, że oni wcale ciebie nie potrzebują? Im jest potrzebne coś, co nazywają «naszą szczytną kulturą», a co w gruncie rzeczy jest dla nich całkowicie obce. Pragną zakosztować solidnej porcji tej obcości, bo w dzisiejszym świecie jest to dobrze widziane i żeby uniknąć ewentualnej kompromitacji, muszą cię odfajkować, a następnie otrąbić ten fakt między sąsiadami. Potem jesteś już dla nich tylko kłopotem, Celtis, znaczkiem postawionym przy którymś tam z kolei punkcie w harmonogramie dążeń do sławy. I ciesz się, że nie jest to punkt ostatni".

Zbliżając się do grodu Grakcha – jak głosi inne podanie – spostrzegliśmy rysujące się delikatnie w oddali strzeliste Karpaty. Przed nami pojawiły się zabudowania Krakowa, jego domy i świątynie, z wszechpotężnym Wawelem na czele. Powietrze było tak czyste, a słońce świeciło tak jasno, że zdawało mi się, iż widzę kontury każdej budowli z osobna. Także każdą zmarszczkę na twarzy mej Hasiliny.

Rozdział 14

Wyjawiłem już, że najwybitniejszym członkiem naszego towaRzystwa był Szwajpold Fiol, hafciarz złotniczy, drukarz i technik. Chluba techników... On też jako jedyny z nas nie posiłkował się pseudonimem. Fiol wymyślił cudowne maszyny do odwadniania kopalń olkuskich. Były to urządzenia zadziwiające każdego, kto na nie spojrzał. Wyglądały jak stadko kóz, które przyszło do wodopoju. Szwajpold nakrył je skórami, a para wypustek przyczepiona do ich niby-głów przypominała rogi. Podszedł do nich i klepał każdą przyjacielsko po grzbiecie.

– Pijcie, pijcie, moje milutkie – rzekł do nich czule – to, co z siebie wydacie, stanowić będzie dochody waszego pana!

Ten to Fiol zakochał się był w dziewce podkrakowskiej, chłopce o imieniu Dana. Spotkał ją kiedyś na targu kleparskim, gdzie kupował konia dla profesora Wojciecha Brudzewskiego.

– Jaśnie pan zobaczy, jakie zęby... – prezentowała konia Dana – a jaka mocna pierś...

Jaśnie pan patrzył, owszem, lecz nie na konia, a gdzieś obok, jakby tam znalazł jakiś bardziej interesujący obiekt do oglądania.

– Zad silny jak u tura... – kontynuowała Dana pochwałę konia.

Fiol postawił oczy w słup. Przerwał jej panegiryczny wywód.

– Gdzie tutaj można znaleźć miejsce na nocleg? Planuję zatrzymać się dziś na Kleparzu...

– Waćpan możesz pójść do mnie – powiedziała Dana. – Prowadzę tu niedaleko dom zajezdny.

– Znakomicie.

– A co z koniem? – dodała śpiesznie dziewczyna.

– Oczywiście biorę. Niech go nakarmią i uwiążą przy domu. Zjawię się tam wkrótce... wieczorem.

– Tak jest, wielmożny panie!

* * *

To właśnie Fiol uparł się, aby wydać przy *inclitum Gymnasium Cracoviense* dzieła wszystkie zakazanych humanistów, których „słodkim, nowym stylem kultury" rozkoszowaliśmy się w ukryciu.

– W Krakowie nie może zabraknąć ani Erazma, ani Ficiny, ani Mirandolli...

– To mag – zauważył Kallimach, który wyjątkowo nie lubił zabobonników.

Niestety rektor i jego „bracia scholastycy" byli odmiennego zdania.

– Wyświecimy cię z miasta, Fiol – oznajmił rektor, który zdążył już zmienić front i usztywnić swoje stanowisko pod wpływem odnawiającego się znaczenia scholastyków. Nie wszyscy znają ten zwyczaj, więc wyjaśnię, że wyświecenie polega na wyprowadzeniu z miasta w asyście płonących pochodni. Chodzi o wyprowadzenie bezpowrotne.

Do tego Fiola spotkało coś, czego ani on sam, ani nikt z nas chyba się nie spodziewał. A mówiąc prawdę, powinniśmy.

– Dana zaraziła mnie chorobą przywiezioną z Francji. Jej samej jakoś to nie rujnuje, ale ja mam problemy.

W rezultacie Fiol został wygnany z miasta i znalazł się w stanie agonalnym w gospodzie Dany na Kleparzu.

Już dawno schowałem swój laur głęboko do kufra, lecz teraz wyjąłem go, spojrzałem na jego zwiędłe liście, następnie podszedłem do okna i wyrzuciłem go na podwórze. Wylądował w błocie i utkwił tam nieodwołalnie jak smutny diadem Nerona przegnanego ze spalonego Rzymu przez gniewny lud. Po chwili podszedł do niego pies. Chwycił go w zęby i przeniósłszy kawałek dalej, zaczął obgryzać.

Uczułem w sercu całkowitą pustkę. Ogarnęła mnie pewność, że dotarłem do jakiegoś kresu, że wyczerpałem wszystkie tkwiące we mnie do tej pory rezerwy. Nie było już nic.

Nazajutrz miałem wygłosić wykład na temat sztuki epistolarnej w oparciu o teorie Cycerona.

Rozdział 15

Siedzieliśmy właśnie w ogrodzie Jana Heydeckego-
-Mirici, zahipnotyzowani bajecznym widokiem drzewek
pomarańczowych, które sprowadził z dalekiej Syrii, gdy
przez gońca dotarła do nas wiadomość, że Fiol umiera.
Prosi nas byśmy, jeżeli to możliwe, przybyli zobaczyć go
po raz ostatni.

Kallimach obrzucił spojrzeniem zebranych sodali-
tów i odwrócił głowę. Po raz pierwszy zobaczyłem, jak
jego twarz stężała i zniknął z niej wszelki ślad uśmiechu.
Przypominała teraz błoto ścięte wiosną przez mróz.

Kunasz podszedł do Mirici i nagle przez jego usta
wydostało się na świat spazmatyczne łkanie. Widocznie
w tym jednym przypadku przełamał swą naturę, w pełni
dobywając z siebie głosu. Wsparł głowę na piersi Mirici
i głośno wypłakiwał się w jego koszulę.

– A zatem w drogę – przyglądnąłem się obliczom
zgromadzonych. Wszystkie były poważne i skupione.

– Gotowi? – kilka głów przytaknęło w milczeniu.

Jan Kunasz oderwał się od Mirici i z dramatycz-
nym szlochem rzucił się w moją stronę. Odepchnąłem
z obrzydzeniem jego wypomadowaną na czarno czuprynę. Zwrócił się teraz do Kallimacha.

– Ile mamy latarek? – zapytał Heydecke.

– Wszystkie oddałem rotmistrzowi wiertelników
– powiedział Drzewicki.

W Krakowie, na mocy specjalnego wilkierza wyda-
nego przez magistrat, nie tylko nie wolno nosić ze sobą

żadnej broni – nawet tak całkiem niewinnej jak zdobny miecz Kallimacha – ale po zmierzchu obowiązuje też zakaz poruszania się bez latarek. Jeszcze parę godzin temu mielibyśmy ich wystarczającą ilość. Niestety, od jakiegoś czasu baczniej nam się przypatrywano. Działo się tak na skutek donosów złożonych na nas przez scholastyków. Wszystkie latarki musieliśmy więc zwrócić straży miejskiej.

Równocześnie dotarło do nas drugie wezwanie. Płowowłosy chłopak ze zmierzwioną czupryną wpadł do ogrodu i zakomunikował:

– Jaśnie wielmożny pan, królewicz Olbracht wzywa waćpanów, abyście czym prędzej przyszli mu z pomocą. Towarzysz waćpanów Statilius Simonides nieprzyzwoicie zachowuje się w karczmie „U Magdaleny".

Statilius Simonides, z ojca Hermazelig, doktor dekretów i syn karczmarki Magdaleny, wpadał od czasu do czasu w szpony dionizyjskiej obsesji, która lubiła trzymać go w nich tak długo, aż ten nie oddał jej pełnej czci resztkami swych sił i inteligencji.

– Pewnie odsunięto Olbrachta od rozmów z Turkami. I teraz wyżywa się gdzieś na mieście – mruknął Kallimach.

– Turkami? – zainteresował się Jan Kunasz, który już zdążył wszystkich zapoznać ze swoją ostentacyjną rozpaczą.

– Na zamku gości dziś delegacja arabistów – odpowiedział niechętnie Kallimach. – Chcą zawczasu zabezpieczyć się w pakt pokojowy. Przybyli tu na niezwykłych dwugarbnych koniach, które u nich służą za wierzchowce.

– Wydawało mi się, czy mówiono tu o dwu garbach!? – noszący plecy wyżej szyi Bernard Wilczek z Boczowa, zaopatrzony jak zawsze w gruby kij, którego podczas

78

marszu używał jak trzeciej nogi, nie mógł wyjść z zachwytu. Nawet teraz ubrany był w gruby płaszcz, który okrywał jego kalectwo, a dla dodatkowego odwrócenia uwagi nosił na głowie szlachecką czapę, najprawdopodobniej wyciągniętą z magazynu jego zamożnego protektora, Andrzeja herbu Róża Boryszewskiego.

– Dwugarbne konie... – powiedział znów głośno Jan Kunasz. Na nim ten fakt również musiał wywrzeć wrażenie.

Gdy furman i piechur ze sztuczną nogą znikli za bramą posiadłości Heydecke, Kallimach mrugnął do mnie porozumiewawczo:

– Na tych zmechanizowanych zawsze znajdzie się metoda...

Pokiwałem mu głową z wdzięcznością. Bernard Wilczek nie cieszył się moją zbytnią sympatią. Ten bohemista stosował do nauki czeskiego metodę, która nie bardzo przypadła mi do gustu.

* * *

Postanowiliśmy więc zorientować się, na czym polega problem syna pięknej karczmarki. Uznaliśmy, że najlepiej będzie, jeżeli Heydecke pozostanie na miejscu pod opieką Morsztyna, zaś my pójdziemy zobaczyć, co się stało i wrócimy najszybciej, jak to będzie możliwe. Przyszły archiprezbiter kościoła Mariackiego z powodu ilości wina wypitego tego wieczoru, nie nadawał się na razie do dalszej drogi.

Przejście nocą przez Kraków to doprawdy nie lada wyczyn. Wspomniałem już o mostkach przypominających odwrócone koniki na biegunach i ciężkich kamiennych głazach, o które można boleśnie poranić sobie stopy. Stanowią one prawdziwe zasieki obejmujące teren całego grodu, które dla niewprawnego piechura mogą być przeszkodą nie do pokonania. Do niebezpieczeństw czyhających na dole, dochodzą jeszcze te, których spodziewać się można z nieba. W Krakowie obowiązuje specyficzny rodzaj wodnych odprowadzaczy. Nie kierują one wody – jakby się tego można spodziewać – wzdłuż ściany wprost do dziury wodnej, wykopanej zaraz przy budynku, ale długimi, żurawimi szyjami przenoszą ją aż na środek ulicy i tam dopiero wypluwają do wąskiego wykopanego w niej rowka. Z powodu tej szpary krakowskie ulice wznoszą się z obu stron nieco ku górze, co znacznie utrudnia poruszanie się nimi. Z takiej rynny w każdej chwili można dostać po głowie porcją deszczówki, a może się zdarzyć, że czymś jeszcze gorszym! A błoto? To doprawdy horrendalne zjawisko! Piesi toną w nim nieraz po kolana, a wozy zapadają się po osie kół. Będę musiał kiedyś potrącić w tej palącej społecznie sprawie o poetyckie struny.

Na szczęście, tej nocy towarzyszył nam ogromny do granic nierealności księżyc. W jego jasnej poświacie szło się o wiele łatwiej. Co prawda sporadycznie przestawał on grupie piechurów pomagać, bo raz na jakiś czas zachodził za mknące po czarnym niebie skłębione bałwany, ale wtedy nie był niczym przesłonięty.

Doszliśmy więc w końcu do gospody noszącej nazwę „U Magdaleny", która znajdowała się w połowie ulicy zamieszkanej przez kanoników, naprzeciw placyku o tym samym imieniu. Prowadziła ją mieszczka krakowska, urodziwa wdowa po Hermanie Zeligu, a obecnie legalna żona Jana Warpanski – organisty z kościoła Mariackiego.

Statilius Simonides siedział w gospodzie chyba już od dość dawna, bo sala była pusta, zająwszy miejsce przy stole ustawionym na samym jej środku. Wyglądał jak pomnik furii, który wychodzi właśnie spod dłuta nowego, nadwiślańskiego Fidiasza. Postanowiliśmy nie zakłócać pieczołowicie przez niego wypracowanego stanu kontemplacji. Tuż przy nas rozgrywało się o wiele ciekawsze widowisko. Latorośl jagiellońska sprowadziła nas tutaj chyba po to właśnie, żebyśmy mogli je sobie oglądnąć. Na wolnej przestrzeni za kościołem Świętej Marii Magdaleny ustawiło się wokół niewielkiego *forum* kilkadziesiąt osób odzianych w metalowe błyszczące zbroje i trzymających w rękach latarki. Były to te same lampki przewodnie, których musieliśmy się owego dnia pozbyć pod przymusem, a zbroje, oczywista, należały do strażników miejskich. Pośród nich, w centrum jasno oświetlonego kręgu stał mężczyzna. Przypominał zwalistą skałę, która ożyła i postanowiła się trochę poruszać. Przed nim kulił się ze strachu młody *circumlator*, który ubrany był w samą koszulę i wyciągał w jego kierunku patykowate ręce zaciśnięte w drobne piąstki. Skalisty mężczyzna zamachnął się i dzielny strażnik miejski poleciał o jakieś dwie długości swojego ciała do tyłu, gdzie padł bez czucia na ziemię z cichym jękiem.

Jan Olbracht rozgrywał mecz bokserski.

– Hejże! Kallimachu! – ucieszył się na nasz widok. – Widzisz, czego się tu dokonuje bez zastosowania techniki? Może zapisalibyście mnie do waszego chodzącego towarzystwa? – zapytał chrapliwym szeptem, pochylając się ku niemu.

Kallimach skrzywił się lekko, lecz zaraz przyoblekł twarz w uprzejmy uśmiech i odparł:

– Jeżeli wasza książęca mość zrezygnuje z koni...

– Z koni również!? – zdziwił się szczerze królewicz. – To prawda, że nieraz paskudnie zanieczyszczają one środowisko. Ale żeby od razu uważać je za mechaniczne...

Kallimach rozłożył ręce w geście bezradności.

– No nic, pomyślę nad tym! Zobacz lepiej, co tu się dzieje! Walczymy do pierwszej utraty tchu! Z uwagi na ciszę nocną nikomu nie wolno nawet jęknąć – uśmiechnął się – zostałby wtedy zdyskwalifikowany! Na ring wszedł następny, rozebrany do pasa zawodnik. Jan Olbracht obejrzał go sobie z góry na dół, o nas zupełnie zapominając. Był bez reszty pochłonięty zbliżającą się walką.

– Chodźmy – szepnął Kallimach – zanim sobie o nas przypomni!

Zrobiliśmy parę kroków do tyłu, po czym przystanęliśmy, żeby nie wyglądało na to, że próbujemy się chyłkiem wymknąć. Następnie powoli zaczęliśmy posuwać się w stronę ulicy Poselskiej. Niestety wachmistrz wiertelników zauważył nasze manewry.

– Hola – powiedział. – A waszmościowie dokąd? Kallimach odwrócił się w jego kierunku.

– Do domów, panie wachmistrzu! A gdzieżby?

– A ja słyszałem, że te „domy" znajdują się na Kleparzu, a w jednym z nich przebywa pewien niebezpieczny szkodnik o nazwisku, zdaje się, Ciol?

Kallimach pomacał połę swojej czarnej peleryny. W miejscu, którego dotknął, pod materiałem niewątpliwie znajdował się znany mi miecz.

Ursinus położył mu dłoń na przedramieniu, chwilę ją tam potrzymał i wysunął się naprzód.

– Panie władzo – odezwał się. Wiedziałem, ile go to musiało kosztować. Wprost nie znosił tego prostackiego tytułu, nadawanego miejskim pachołkom przez próbujący im się przypodobać plebs. Zastanawiam się, czy jest szansa, że kiedyś je polubi... Być może w niewyobrażalnej przyszłości, gdy władzę wyłoni się w powszechnych wolnych

82

wyborach. Ten szczery demokrata ze szlachetnej rodziny Beerów żywił przekonania całkowicie obywatelskie.

Wachmistrz rozluźnił się, a w jego oczach zjawiła się chytra interesowność. Ursinus wyciągnął z kieszeni surduta niewielką, co prawda, ale bardzo grubą książeczkę. Błysnęły nadzwyczaj białe stronice. Na wachmistrzu nie zrobiło to dobrego wrażenia. Rysy jego twarzy ściągnęły się, a twarz ponownie przybrała wyraz napięcia. Przywołał niebezpiecznym gestem ręki swojego podwładnego.

– Chodź no tu, Wacuś! – jęknął niechętnie. A potem zwrócił się do Ursinusa:

– Gdybym ja mógł czytać, to może i nie harowałbym tutaj na nocnej zmianie, co!?

– Pan wachmistrz tylko ogląda – dołączył do niego mały, zadzierający nosa wiertelnik. – To, jak mówią w sławnej Francji, prawdziwy *te le wic*... Gdyby pan wachmistrz choć trochę czytał – wydął usta – musiałby znać prawo – zaczął się cicho trząść – a pan wachmistrz tak lubi chodzić na lewo!

Wachmistrz najpierw spojrzał na niego groźnie, ale nie mógł sam nie wybuchnąć śmiechem, słysząc ten znakomity dowcip. Przez chwilę dygotali razem, zasłaniając wstydliwie rękoma usta, żeby nie zakłócać nocnego spokoju. Ci inteligentni jak Hefajstos osobnicy istnieją naprawdę i noszą broń.

Widząc ponure miny stojących przed nim ignorantów, wachmistrz łaskawie ucichł.

– Powiedz im, Wacuś, na co cierpię – powiedział zmęczonym głosem do swego pomagiera – i co oni u mnie powodują.

– Pan wachmistrz cierpi na obsr...

– Cyt! – dowódca wpadł wyraźnie w panikę. – Rotua tu mieszka!

Rotua mógł ich wydalać ze straży za wulgarne słownictwo i czynił to, bo w istocie był naszym człowiekiem: Kazimierzowi Jagiellończykowi udało się go umieścić w kancelarii magistrackiej na stanowisku pomocnika pisarza, czyli tak zwanego podpiska. Jednakże ratuszny pachołek mylił się, co do jego miejsca zamieszkania – Rotua żył przy *platea Pulla*. Poza tym rozmowa toczyła się przecież szeptem. Przypomniało nam to o maskowanym tchórzostwie magistrackich lokajów.

– Obstrukcja – dokończył grzecznie wachmistrz.

– Tak, tak, to prawda...

Zobaczyłem u Ursinusa błysk w oku. Wcześniej już otworzył książeczkę, w której trzymał sumy na przekupywanie urzędów: był to sprytnie wymyślony schowek, żaden wiertelnik nigdy by do niego nie zajrzał. Chciał wyciągnąć monetę, lecz zmienił zdanie i w jego dłoni pojawiło się zielone kłącze.

– To purgamen – Ursinus podniósł do góry roślinkę. – Drogocenne ziele rosnące w Egipcie. Według prastarej wieści, jeden jego listek oczyścił kiedyś do białości pewne afrykańskie plemię, oblegające ten kraj.

Doktor Beer rozejrzał się, zauważył stojące przy pokonanych zawodnikach wiaderko z wodą, którą się cucili i przyniósł je. Wrzucił do niego listek purgamenu. Woda od razu pociemniała.

– Wystarczą dwa łyki i ciało pana kapitana zostanie odnowione, jak skóra węża.

Cierpiący chyba rzeczywiście na zatwardzenie strażnik rzucił się chciwie na wiadro: pomyślałby ktoś, że Ursinus to wcześniej przewidział... Wraz z karłowatym wiertelnikiem odeszli bez podziękowania w kierunku zgromadzonych bokserów.

– Sprytnie rozegrane – powiedział Kallimach.

– Tylko na jak długo odwróci ich uwagę? – strapił się Ursinus.

– Myślę – odparłem, śledząc rozwój wypadków – że na dość długo.

Na placyku doszło do łomotu i wachmistrz ze śmiesznie małym asystentem podbiegli na jego środek, żeby znieść następnego znokautowanego strażnika. Ci z nich, którzy zdołali dojść do siebie, sięgali po bliskie wiaderko i po kolei częstowali się wodą, ciemną jak... Afrykańczyk przed wypiciem purgamenu.

Rozdział 16

Straciliśmy już ostatecznie szansę na legalne opuszczenie Krakowa. Młodsi z cechu muzyków – jedynego, który zwolniony jest od konieczności bronienia miasta na wypadek niebezpieczeństwa – odtrąbili zamknięcie bram. Myślę, że już sam dźwięk ich trąb zdołałby solidnie postraszyć najeźdźcę.

Szedłem tuż za Rakami, więc miałem okazję przyglądać się ich ruchom. Patrzyć na to, jak chodzą, to prawdziwa radość dla oka.

Wiedli swe kadłubiaste ciała niczym ogromną maszynerię, która nie jest w stanie utrzymać się w pozycji pionowej. Ich grube, przypominające skorupiaki korpusy, załamywały się co chwilę na podobieństwo dwóch gigantycznych części harmonii i znów prostowały, sprawiając przy tym wrażenie, jakby ich właściciele, posuwając się wprzód, kroczyli jednocześnie do tyłu.

Zaraz jednak księżyc zaszedł za chmury i wokół zapanowały całkowite ciemności. Przy nich nawet słuch zdawał się popadać w swoistą ślepotę.

Jeden dźwięk z prawej strony wydał mi się wszakże dziwnie podejrzany. Przypominał stąpanie dużego bydlęcia. Nocne zwierzę... O tej porze? W Krakowie? Poza tym nie mogły mnie zawieść wszystkie zmysły równocześnie: pociągnąłem nosem i skrzywiłem się z niesmakiem. Spojrzałem na miejsce, z którego doszedł dźwięk. Wiatr znów rozgonił chmury i spoczęło na nim jasne światło księżyca.

Moim oczom ukazał się raczej przykry widok. Zobaczyłem dwie brudne nogi wystające z nieprawdopodobnie postrzępionych buciorów. Dalej wznosił się oparty o mur kamienicy ludzki tułów, przypominający wygrzebane z ziemi stare ubranie, a na nim głowa, otoczona bujnym, równie schludnie utrzymanym zarostem, podobna do pyska wytarzanego w obierkach owczarka. Przede mną siedział Drason, rozdziawiwszy usta w błogim uśmiechu i łypiąc na mnie dwojgiem przekrwionych oczu.

– Witaj, Celtis! – zagaił, jak gdyby spotkał się ze mną w tym miejscu na umówionej partyjce kości.

– Nie mógłbyś teraz leżeć w łożu z baldachimem? – zapytałem i pomyślałem, że niezły z niego harfiarz.

– Oczywiście po wcześniejszym skorzystaniu ze swojej osobistej toalety.

– Wybacz, Celtis, ten zapach... Leczę moją francuską chorobę – znaną wszak i twojemu przyjacielowi, Fiolowi – perfumami pochodzącymi z Francji. To nowoczesna metoda wynaleziona przez doktora Faustusa. Zwać ją będą homeopatią.

Drason rozmawiał ponoć z jakimś magikiem z przyszłości, który wkrótce ma przybyć do Krakowa. Stąd nazwaliśmy go Synem Doktora – Drason. Miał on osobowość podobną do starożytnych cyników.

– Widzę, że u odwiecznych sługusów reżimu wszystko po staremu – kiwnął głową w kierunku walczących *circumlatores*.

– Bezkształtna, tępa masa! – mruknął Ursinus.

– Oni się nigdy nie zmienią! Nawet jeżeli wy byście zwyciężyli – błyskał sarkastycznie oczami – ściągną was w dół! Do swojej piwnej kloaki! To piwociągi! Wiadomo od starożytności, że przyzwoici ludzie piją wino. Tylko kiep pije beb! To teraz na porządku dziennym! Ja tam nie wierzę w żadne zmiany w magistracie! – wykrzywił się brzydko.

– A ja ci mówię, że już następny król zostanie wybrany w wolnej elekcji! – odezwał się z profetycznym zacięciem Ursinus.

– Mam nadzieję, że nie zostanie nim tamten przedstawiciel dynastii – Drason znów wskazał głową w stronę placyku Marii Magdaleny. Tym razem miał na myśli nieudanego ucznia Kallimacha.

Mimo to Ursinus nie dał za wygraną.

– Żeby ich pokonać, trzeba okazać się od nich lepszym – przekonywał. – Trzeba działać, żeby tak rzec... solidarnie – skończył, popadając w zadumę.

– Uważaj, Pieczywko – zmienił temat Drason – coś na ciebie szykują. Odkąd jako przedstawiciel starej gwardii sprzeciwiłeś się rektorowi, ten częściej zagląda do Rathausu. Wczoraj wchodził tam w towarzystwie waszego namaszczonego poety.

Rak Starszy wyciągnął prędko monetę, pokazał ją wszystkim niczym iluzjonista wykonujący magiczną sztuczkę, a następnie złożył ją najzwyczajniej u stóp Drasona. Ukłon Raka stanowił sam w sobie całe przedstawienie.

– Niezły oman – Drason skłonił się wdzięcznie.

Rozległ się jasny i pogodny dźwięk cytry, w zaiste przedziwny sposób współbrzmiący z atmosferą księżycowej nocy. Drason dobył instrumentu, przy pomocy którego zarabiał na życie.

Pozostawiliśmy cierpiącego na przypadłość wolnych rybałtów muzyka pod ścianą jego tymczasowej siedziby i podążyliśmy za resztą grupy, której członkowie już znacznie oddalili się od nas.

– Do zobaczenia, Drason – rzekłem na pożegnanie.

– Miejmy nadzieję.

Pokiwał melancholijnie głową, spojrzał na swoje smolne kończyny oblane srebrną poświatą i rzekł:

– A księżyc pod Jej stopami...

– Że... Słucham? – nie zrozumiałem.

– Nic, nic – machnął wesoło ręką na do widzenia.

Śpieszę wyjaśnić, dlaczego Drason nazwał sędziwego Raka dziwacznym mianem „Pieczywko". Otóż, przesiąknąwszy łotrzykowską terminologią, nawiązał on tą drogą do ostatniego członu jego imienia. Według różnego rodzaju krakowskich rzezimieszków „starszy" to chleb. Podobnie „beb" w ich specyficznym nazewnictwie oznacza piwo. Oman to z kolei duża forsa... Przepraszam, duże pieniądze.

Było coś ujmującego w tym łaziku, który w przeciwieństwie do wielu innych włóczęgów i żebraków miał charakter najwyraźniej pański. Stąd niejednokrotnie budził zaciekawienie, a nawet respekt i z tego chyba powodu jego czapka bywała pełna. Spotykał się też z zainteresowaniem wszystkich działających na terenie miasta wywiadów: królewskich, magistrackich, a nawet zagranicznych, bo lubiano go zapraszać na różne prywatne przyjęcia i bywał świadkiem nieoficjalnych wydarzeń. Ale czy takiego abnegata można było czymkolwiek skusić do współpracy? Choć zdarzało się i tak, że jakiś fanatyczny zwolennik scholastyzmu, wysłuchawszy jego protest-songu, pobił go do nieprzytomności lub przepędził z miejsca.

W mieście nasilały swoją działalność tajne służby mocarstw ościennych – konkurencyjnych, choć spowinowaconych z Jagiellonami Habsburgów, a zwłaszcza moskiewskich satrapów skąpanych we krwi, których dlatego zwano nad Wisłą czerwonymi tyranami. Ci postanowili wysyłać na teren Krakowa całe tabuny niby to karawan kupieckich, złożonych z podejrzanych typków o wąskich, żółtych oczkach. Przypominali oni raczej forpocztę kawalerii mongolskiej, mogącej w każdej chwili wyskoczyć z tego specyficznego trojańskiego lajkonika i wydać bezbronne miasto na pastwę wschodniej zarazy.

Z tą kawalerią, nawiasem mówiąc, ciekawa jest rzecz. Jan Olbracht pokonał ją pod Kopystrzynem. Udało mu się to zresztą tylko dzięki pomocy jego mentora. Wiadomo, że poddany chana nic prawie nie znaczy bez konia. Dlatego też dba o jego dobre samopoczucie, jak inny o własne potomstwo. Karmi go solidnie, a kiedy trzeba, nawet modli się do niego. Przed bitwą zaś poi go, bacząc pilnie, czy woda w miejscu popasu nie jest zatruta.

Znając ich zwyczaje dość dobrze, Kallimachowi udało się sobie tylko znanymi kanałami sprowadzić pod Wawel nietypowe słodkowodne stworzenia. Są one bardzo małe, pyski mają ścięte, niczym młode pniaczki, a trójkątnymi zębami potrafią zagryźć na śmierć nawet tura. Zachowują się jak piraci, ale że to „one" – zwą te rybki piraniami. Żyją zaś w potężnej rzece, płynącej przez tajemniczy do niedawna ląd, znajdujący się na wschód od Indii i przywożone są przez żyjących z ich połowu rybaków. Ci prości ludzie handlują nimi od wieków, co w jasny sposób przeczy niedorzecznym przechwałkom niejakiego Kolumba, który jak każdy pospolity pyszałek z Zachodu obnosi się z odkryciem tej ziemi.

Otóż Kallimach zaopatrzył się w bojowe rybki i w kilkunastu szczelnie zamkniętych bekach powiózł je za ruszającym na wyprawę Janem Olbrachtem. Kopystrzyńska Murachwa tworzy ze swych zakoli płytkie jeziorko, wokół którego Mongołowie umieścili swe wojska. Gdy dzień zaś chylił się ku końcowi, wprowadzili tam swoje wierzchowce – niektóre nurzały się aż po chrapy. Na to tylko czekali ludzie Kallimacha: wygłodzoną od tygodni zawartość bek przelali prędko w cichy nurt, podążający ku zbiornikowi. Rozległy się przeraźliwe ryki kąsanych w podbrzusza rumaków i nieszczęsne zwierzęta wpadły niczym szalone w obóz, tratując po drodze swych nic nie pojmujących właścicieli.

Uszczęśliwiony Jan Olbracht kroczył środkiem pobojowiska i potężnymi uderzeniami pięści raz za razem wymiatał w powietrze jakiegoś ogarniętego paniką tatarskiego karzełka.

O wrogich działaniach tych azjatyckich mikrusów na terenie Krakowa wiedziałem od Kallimacha. Jego nadmierna antypatia mogła być w pewnej mierze usprawiedliwiona: przebywając często w imperium półksiężyca, zawsze spotykał ich tam w niemałej liczbie, żyjących na niezmiennie dobrej stopie z państwem sułtana. Przy czym nie miało większego znaczenia, czy ze stolic europejskich postrzegano akurat te dwie części świata muzułmańskiego jako przyjaciół czy wrogów.

Być może jednak Kallimach przypisywał im rolę przesadną. Niewątpliwie bowiem odznaczał się antymahometańską obsesją. „I-szlam – wydymał pogardliwie usta, mówiąc o czcicielach Proroka. – Te ich wewnętrzne wojenki to tylko pozory! Prawdziwy podział biegnie gdzie indziej i zakreślony jest grubą kreską: konflikt rozgrywa się pomiędzy dwiema całkowicie wykluczającymi się cywilizacjami".

Z moich rozmyślań wyrwał mnie jęk, dobiegający gdzieś z tyłu.

– Celtis! – rozpaczliwym półgłosem nawoływał mnie Rak Młodszy.

Nie mogłem dostrzec, gdzie znajduje się mówca, bo chmury chwilowo znów zasłoniły księżyc, biorąc górę w podniebnej przepychance, jaka tej nocy odbywała się w przestworzach.

– Tonę! – dobiegł mnie znów zza pleców pełen rozpaczy szept.

Wyciągnąłem dłoń i namacałem nią w ciemnościach kamienny mur. Poklepałem stojącą obok mnie ścianę. Znajdowałem się przy Małej Wadze, budynku, w którym krakowscy kupcy mierzą ciężar cennej drobnicy. Przeważnie są to artykuły korzenne, wosk i srebro – stąd bywa nazywana Wagą Srebrną, które to imię za chwilę miało szczególnie dobrze oddać jej charakter. Księżyc wyłonił się ponownie zza chmur.

– Nic się nie stało, wpadłeś tylko do studni!

– Do studni!? – zawył przerażony Rak.

– Ściślej rzecz biorąc – powiedziałem do niego uspokajająco – do rząpi.

Drugi Rzym posiada na podobieństwo pierwszego swoje akwedukty, równie nowoczesne, co tamten. Zasilane są one przez napływającą z północy rzeczkę Rudą, zwaną też Ryżawą, albo Rudawą i doprowadzane bezpośrednio do domów co możniejszych mieszczan. *Pro publico bono* zaś użyczają one wody w obrębie *Forum*. Ciągną się pod nim w sosnowych rurach na głębokości niskawego męża, co parędziesiąt kroków łypiąc ku rozwartemu niebu z podziemnej czeluści meduzim okiem zimnej cieczy.

Do takiej właśnie zdobnej fontanny wpadł Jan Aesticampianus Młodszy, którego długi korpus złamał się przy jej brzegu.

– Nic ci nie będzie – rzekłem, podnosząc Jana Aesticampiana mrużącego w tym czasie oczy jak wskrzeszany Łazarz. – Jeszcze nigdy woda nie zaszkodziła Rakowi.

Aesticampianus otworzył wreszcie oczy.

– Ale gwiazdy – powiedział, patrząc na niebo.
I rzeczywiście. Ja także tam w końcu spojrzałem.
Myślę, że widok rozgwieżdżonego nieba w którymkolwiek zakątku ziemi jest dla człowieka czymś wstrząsającym. Kto widzi te nieprzebrane konwalijki światełek, przekazujące sobie uprzejmc pozdrowienia za pomocą nieznacznych kiwnięć skrzących się filigranowych główek, kto słyszy podniosły koncert niezliczonej liczby radosnych trąbek i piszczałek wlewający się do uszu leciutkim kojącym szumem, ten nie może przejść wobec tego obrazu obojętnie. Nawet gdyby był w swoim wnętrzu, nie wiedzieć jak bardzo zmartwiały, choćby na chwilę ożyje, bo operuje wokół tego zjawiska jakaś Siła Przemożna.

Robiąc kilka kroków do przodu, stwierdziliśmy niebawem, że znajdujemy się blisko miejsca, gdzie w cieniu chwiejącego się drzewa Mirici (to zlatynizowana i wdzięcznie skrócona nazwa palestyńskiego tamaryszka) oczekuje na nas Morinus.

Rozdział 17

Nie wiem, czy komuś, kto będzie czytał te słowa, zdarzy się kiedykolwiek oglądać mury obronne jagiellońskiej stolicy. Jeżeli nie, to poniższe wyjaśnienie, z całą pewnością, okaże się dla niego przydatne.

Czy zechciałby Czytelnik wyobrazić sobie miejsce, w którym z niewiadomego powodu postanowili bronić się razem przed ewentualnym nieprzyjacielem, przedstawiciele społeczności różniących się wszystkim, nieprowadzących wspólnych interesów i nieposiadających żadnych wspólnych zamiłowań? To właśnie jest Kraków, a dokładniej jego urządzenia warowne oplatające go nieregularnym pierścieniem, który to pierścień jednym przypomina kuchenną łyżkę, drugim zaś – tym nieco bardziej wyrobionym poetycko – gęśle, lutnię lub inny jeszcze instrument muzyczny.

Sterczą więc ku górze, rozmieszczone nie dalej od siebie niźli na strzał z łuku, baszty kordybaników, i szewców, i barchaników, i miechowników, a nawet kata i ceklarzy. A każda z nich zbudowana jak gdyby przez inne plemię, w całkowicie innym celu i ku innemu wrogowi zwrócona. Baszta na przykład kordybaników niezwykle smukła jest i strzelista, a na pierwszy rzut oka łudząco przypomina ogromny cylinder, który przykryto szpiczastą czapką z pomponem. Baszta iglarzy, wbrew nazwie krępa i przysadzista, całkowicie odbiega wyglądem od precyzyjnego narzędzia, produkowanego przez owych rzemieślników. Ta zaś, nożowników, tnie niebo łatwo i pewnie niczym balwierski lancet.

Będzie tych wież i bram uzbrojonych ze cztery tuziny, a wraz z mniejszymi furtkami przekroczyć one mogą liczbę nieszczęsnych mężobójczyń, Danaid, których to ojciec – jak wiadomo – posiadał pół setki. I przyznać to trzeba całkowicie bezstronnie: bez względu na koleje, którymi toczyła się historia wznoszenia obronnego muru miejskiego i owych nanizanych na niego baszt, skończyła się ona opatrznościowo. Jej owoc, doprawdy, zapiera dech w piersiach.

Jedna z tych baszt nie różniła się zbytnio od pozostałych wyglądem. Z całości wyodrębniał ją jednak fakt o charakterze bardziej impoderabilnym. Zamieszkiwał ją bowiem i doglądał, a w okresie pokoju pielęgnował znajdujący się za nią ogród, kat miejski.

Mistrz świętej sprawiedliwości o imieniu Sfagos był postacią dość znaną w Krakowie, choć sprawie jego stałej i bliskiej, w pewnym sensie nawet intymnej obecności, nie poświęcano przesadnej uwagi. Można nawet powiedzieć, że wręcz przeciwnie, starano się ją na wszelkie sposoby zepchnąć w sferę tabu. Powiadano zresztą, nie bez racji, że jest on jedyną osobą w mieście, z którą można równocześnie przywitać się i pożegnać.

Oprócz swojego głównego nurtu działalności, do którego należały wiadome, wymagające wysokich kwalifikacji umiejętności (takie jak: uśmiercanie poprzez ścięcie, wieszanie, palenie na stosie, topienie, łamanie kołem, wbijanie na pal, rozszarpywanie kleszczami, ćwiartowanie, obdzieranie ze skóry, piętnowanie rozpalonym żelazem i chłosta na pręgierzu), kat zajmował się także sprawami mniejszego kalibru. W ich zakres – obok drobnych zabiegów cyrulicznych, jak puszczanie krwi czy nakłuwanie ropni – wchodziło opróżnianie miejskich latryn i usuwanie brudów z municypalnego więzienia.

Wiódł więc kat żywot pełen niecodziennych wrażeń w świecie niedostępnym profanom i zastrzeżonym wyłącznie dla niego. Wejść w ten krąg mogli jedynie oddani mu w pełni ceklarze, zwani też drabami lub oprawcami, których wieża znajdowała się na zachód od jego stanowiska. Teraz na pewno spali bez przytomności, jak zawsze wcześniej spiwszy się okowitą.

Istniała dodatkowa droga dostępu do tej niezwykłej osobistości, droga nie do końca formalna, o charakterze, w rzeczy samej, całkowicie odmiennym od owego pierwszoplanowego zakresu obowiązków. O ile wkroczenia na tę pierwszą ścieżkę obywatele sami starali się ze wszystkich sił uniknąć, o tyle nierzadko znajdowało się sporo amatorów tej drugiej. Kat miejski był bowiem opiekunem krakowskich burdeli.

Do takiego oto osobnika trafiliśmy wszyscy po zabraniu ze sobą Morsztyna i przyszłego proboszcza kościoła pod wezwaniem Wniebowzięcia Najświętszej Marii Panny, na razie rosnącego w naszym Towarzystwie pod postacią Tamaryszka.

Była jeszcze jedna usługa, na którą liczyć mógł klient Sfagosa, a mianowicie, tańsze niż u balwierza (czy nawet przeciętnego łaziebnika) rwanie zębów. A już bez żadnej wątpliwości, bardziej skuteczne... W nagłych przypadkach udawano się do niego po to świadczenie nawet nocą.

– Może poprosić by go o wyrwanie zęba – zastanowił się profesor Jan Aesticampianus Starszy. – Pacjent będzie głośno krzyczał, a reszta w tym czasie spuści się po murze, przedostanie przez fosę, a stamtąd dalej już bez problemu na Kleparz?

– Dobry pomysł – przyznałem. – Zawodzenia w tym miejscu to żadna nowość. Kogo mogłyby zdziwić głośne jęki dochodzące z katowni?

– Kto się do niego zwróci o pomoc? – Jan Aesticampianus Starszy spojrzał na Drzewickiego.

Unikałem jego wzroku, więc ode mnie także nie uzyskał odpowiedzi. Po chwili w jego oczach zagościła mgiełka zrozumienia. Jako najstarszy z grupy, nie mógł narażać młodszych na tego typu doznania, sam pozostając w cieniu.

Rozdział 18

Za murami miasta było niezwykle cicho i spokojnie. Udało nam się bez przeszkód przeprawić przez fosę i wyjść z niej po drewnianych kasztowaniach, czyli palach wzmacniających Rudą Rzekę. Te dwie rzeki: Ruda i Wisła opływają jagiellońską stolicę pienistymi kaskadami, unosząc ją jakby na wielkiej tratwie w odległą dal. Kasztowania są tam na okoliczność rurmusa, urządzenia obsługującego wyżej wymieniony akwedukt, stanowiąc dlań wieżę ciśnień. Ono też bez wątpienia pomogłoby nam ujść wcześniej przed wzrokiem katowskich drabów, gdyby ci już się skutecznie nie unieszkodliwili.

Z drugiej strony murów rurmus przysłużyłby się naszej sprawie może jeszcze lepiej, ale i bez tego radziliśmy sobie doskonale: zabezpieczenie nadeszło ze strony nieobecnego znowu księżyca. Teraz wzeszedł jakby odświeżony i jeszcze bardziej okazały, z tarczą tak wielką, że przypominał banię, która mogłaby nas dotknąć i unieść ponad uśpione zabudowania Clepardii. Szczupła siostra Krakowa, *alta civitas* – wysokie miasto – wyszła nam na spotkanie w zwiewnej nocnej sukience. Dużo uboższa od swego starszego brata i w przeciwieństwie do niego niemająca żadnych obwarowań, kładzie swe członki na niewielkim płaskowyżu, będąc znacznie bardziej narażona na atak z północy. Tworzy ją teren nieporównanie słabiej zagospodarowany od krakowskiego. Wznoszą się na nim przeważnie drewniane, najwyżej jednopiętrowe budynki, rozmieszczone rzadko i w nieregularnym szyku, przypominające trochę rozrzucone kości do gry.

Mimo całej swej nieco szarzejącej prostoty, w blasku tej niezwykłej nocy, *alta civitas* prezentowała się uroczyście, przywodząc na myśl przybraną w brylanty pannę młodą. W pełni zasługiwała obecnie na miano Florencji, którym obdarzano ją od jej patrona zdolnego gasić największe pożary, Floriana.

Myśląc o tym, mimochodem odszukałem wzrokiem Kallimacha. Ciemna sylwetka florentczyka mignęła mi z przodu, tuż za Rakiem Młodszym. Szedł z głową spuszczoną ku ziemi i wzrokiem uczepionym pięt poprzednika. Urodzony rebeliant, rozważający kolejne ogniwa spisku, niestrudzony pielgrzym, maszerujący bez chwili wytchnienia pod ciężko opadającą mu na plecy kopułą nieba. Wędrowny humanista.

Kiedy rodził się w podflorenckim San Gimignano, ojciec i matka nie mogli przypuszczać, jak potoczą się jego losy. Gdy za lat kilkanaście Filippo wyjeżdżał studiować do Florencji, a zaraz potem do Rzymu, nie brali zapewne pod uwagę w ogóle możliwości, że już wkrótce zostanie on zabójcą Jego Świątobliwości papieża Pawła II. Czy gdyby o tym wiedzieli, odważyliby się wypuścić syna spod swoich skrzydeł?

Gospoda, w której znajdował się chory Fiol, rozpoczynała nieregularny szereg zabudowań składających się na Clepardię i stała nieco z boku na zachód od rynku kleparskiego. Wraz z czterema przylepionymi do niej niewielkimi budynkami gospodarskimi przypominała wielkiego żółwia, który przysnął w bajorku.

Zjawiliśmy się przy niej w następującym składzie: ja, Rak (Młodszy), Kallimach, Ursinus, Drzewicki, Corvinus i Morsztyn. Kilka kroków za nami, wydając z siebie nieludzkie dźwięki i budząc całą swoją postawą litość i trwogę, szedł Mirica-Heydecke.

Wchodząc po schodach na piętro zajazdu, na którym znajdował się pokój Fiola, minęliśmy u góry jego kochankę, Danę. Stała z zapaloną świecą. Była w rozchełstanej, chłopskiej koszuli, spod której widać było jej dwie białe piersi. Na jej twarzy malowało się skrajne przygnębienie i rozpacz. W milczeniu wskazała nam drogę.

Wiadomo, jak niezwykle trudno jest szczerze porozmawiać z kimś, kto znalazł się w sytuacji tak radykalnie odmiennej od naszej. Czy gdyby Szwajpold Fiol umierał nie tutaj, na Kleparzu, ale dajmy na to, gdzieś we Włoszech, na przykład pod wybuchającym Wezuwiuszem albo u stóp majestatycznego Olimpu, sytuacja pod tym względem byłaby inna? Sądzę, że nie. Rzecz w tym, że śmierć sprowadza wszystko do jakiegoś doskonale odizolowanego od reszty świata, szczelnie wygłuszonego miejsca, do którego nie znajdują dostępu żadne, choćby najmniejsze, mogące zakłócić jego święty spokój, odgłosy z zewnątrz.

Fiol leżał w białej pościeli, obok na ziemi stała drewniana miedniczka z wodą do obmywania, a po drugiej stronie łóżka znajdował się stojak, na którym zawieszony był kawałek brunatnej tkaniny. Ursinus podszedł do niego, zdjął ją i zamoczył w wodzie. Następnie zbliżył się do targanego dreszczami apolity i przyłożył mu chłodny okład do czoła.

Fiol ocknął się na chwilę.

– Jesteście nareszcie! Możemy więc rozpocząć zebranie! – ucieszył się. Jego radość nie trwała jednak długo.

– Fiol – powiedział Morsztyn. – To nie sympozjon. Jesteśmy dziś półprywatnie.

– A, tak – Fiol jak gdyby sobie o czymś przypomniał.

– Powiedzcie Danie, że odtąd jest Dianą, boginią rzymską. Będziecie pamiętać?

– Tak – powiedział Ursinus.

Przyjrzał się obliczom pozostałych, jak gdyby chciał znaleźć w nich odpowiedź na jakieś dręczące go pytanie. Ten czarodziej medycyny żywił dylemat, którego nie umiał rozwiązać. Po chwili zamknął choremu oczy.

Przenieśliśmy Fiola na nosze, które otrzymaliśmy od Dany, i opuściliśmy zajazd. Byliśmy zatem w komplecie.

Rozdział 19

Tym razem nie mogliśmy wrócić tą samą drogą. Morsztyn, jako rajca królewskiego miasta Krakowa, miał przywilej kontrolowania straży nocnych. Postanowił wykorzystać to swoje prawo. Z daleka zamachał ręką i ofuknął groźnie czeladników krawieckich, którzy pełnili służbę w Bramie Sławkowskiej. Po chwili niciarze zaczęli spuszczać zwodzony most. Kratownica posłusznie poszła do góry.

Przeszliśmy wszyscy, jeden za drugim, na czele z Morsztynem, który rzucał na prawo i lewo grożące nagłą i niespodziewaną śmiercią spojrzenia.

– Niech mi tu który tylko zaśnie! A popamięta!

W odpowiedzi terminatorzy igieł i nici mrużyli mocno jedno oko, uśmiechając się niepewnie i lękliwie. Znali widać rajcę, który już nieraz dawał im się we znaki. Teraz też znalazł na nich niezawodny sposób. Wiedział, że są tutaj w zastępstwie przełożonych, którzy zostali zobowiązani specjalnym wilkierzem do wyznaczania wartowników z własnego grona. Dał im więc do zrozumienia, że jeżeli nie otworzą przed nami bramy, postara się już o to, żeby wyciągnięto konsekwencje wobec ich mistrzów. A ci już według własnego uznania rozprawią się z osobnikami, którzy wpędzili ich w takie kłopoty. Różnie można oceniać stopień przyzwoitości jego metody. Uwzględniając jednak jej aspekt praktyczny, jedno trzeba Morinusowi przyznać: poskutkowała ona bez zarzutu.

Tuż za bramą dołączył do nas, oczekujący w pobliżu profesor Jan Aesticampianus Starszy. Trzymając się za twarz, wyszedł z pobliskiego zaułka. Przyjrzał się Fiolowi i nic nie powiedziawszy, włączył się w szereg. Staraliśmy się iść jak najciszej, jednakże Rak Młodszy, który dwukrotnie przeżył niemiły kontakt z zimną wodą, zaczął pociągać nosem. Aż wreszcie z jego nozdrzy wydobyły się dwa potężne kichnięcia. Nazajutrz miał na terenie ściśle akademickim poprowadzić ważny wykład: „Platońskie postrzeganie świata a ociężałość umysłowa jego oponentów". Dzień wcześniej i ja wystąpiłem z podobnym referatem. Nosił on tytuł: „*De condendis epistolis*, czyli o układaniu listów" i był nieco bardziej eskapistyczny, z uwagi na niechęć do drażnienia scholastyków, którzy wspierani z góry rozpanoszyli się nową falą na uczelni i zaczęli nachodzić nasze odczyty. Mimo to, udało mi się w nim przemycić kilka aluzji do tej skostniałej w bezprzykładnej głupocie, odrażającej formacji.

Duży księżyc ponownie zjawił się na firmamencie. Zwisał z niego gruby, szarawy sznur. Przez chwilę myślałem, że może jest to nić pajęcza, używana do windowania się na ziemię przez niejakiego Macieja, sługę okultysty i szarlatana. Czytelnik wybaczy, jeżeli niedokładnie zapamiętałem jego nazwisko: Zatwardzialskiego lub Twardogłowskiego? Zatwardzialski – pozostańmy już przy tym wariancie – to jeden z czarowników, którzy dzisiaj krążą po świecie, zarażając maluczkich swoim plugastwem. Łudzą ich zaś pozorami głębi i mądrości, nawet niektórzy z nas dali się w to wmieszać. Kreatury te w odróżnieniu od innych cieni zalegających nasz świat, biją z kolei w bęben zrobiony z fałszywej skruchy. Bęben równie pusty, co ich czerepy! Wszystko, z czego wyrośli, uznają za godne pogardy, wieszcząc odkrycie prawdy ze Wschodu o nazwie Baba Yoga – zaiste, trudniej już sięgać prawą ręką do lewego ucha!

Nie była to jednak żadna nić, ale solidna, spleciona w porządny warkocz lina. Zaś na jej końcu, u góry, twarz Sfagosa, który specjalnie potrząsał nią tak, aby dotknęła mojej głowy.

– Ahoj, kumotrzy. A dokąd to tak gromadnie zdążamy w tę piękną, lipcową noc?

– Salve, Sfagos, wydaje nam się, że prawie na pewno nie w tym samym kierunku co ty...

– A może byśmy się tak razem wybrali na spacer... na przykład do pobliskiego ratusza, gdzie czekałby na nas pan burmistrz i świeżo posprzątane – Sfagos uderzył się w pierś – możecie mi wierzyć – uśmiechnął się milutko – prawie puste więzienie?

Szpakowaty profesor Aesticampianus spojrzał na niego. Mimo wieku odznaczał się on pierwszorzędnym zdrowiem i krzepą. Przyłożył sobie rękę do ust, wyczuwając zapewne wolne miejsce po niedawno usuniętym zębie.

– Wiesz co, Sfagos? Jesteś najznakomitszym dentystą, jakiego znam...

– O!... – powiedział Sfagos i uniósł dumnie głowę. Popatrzył gdzieś wysoko.

– Usunąłeś mi zdrowego zęba tak samo dobrze jakbyś usuwał chorego... – Jan Starszy chwycił linę i z całej siły pociągnął w dół. – A mówi się, że „w mądrości siła".

Ciało Sfagosa bezradnie pofrunęło w dół i z hukiem walnęło o ziemię.

– Przenieście go do baszty i dobrze czymś zwiążcie – Drzewicki i Korwin chwycili nieprzytomnego Sfagosa pod pachy i przeciągnęli go do wieży. Po drodze nie wydał żadnego dźwięku.

– Nie widziałem jeszcze tak mało inteligentnego kata – zauważył Ursinus. – Niedługo przestępcy zaczną go odwiedzać z całymi rodzinami podczas niedzielnych spacerków.

Weszliśmy do baszty. Po prawej stronie była mała izdebka ze ścianami wyściełanymi czerwoną tkaniną oraz drewnianymi sprzętami: łóżkiem, skrzynią i dwoma krzesłami. Obok łóżka stała cynowa miednica. W centralnym miejscu na ścianie wisiał podobny do miecza krzyż, z lekko wygiętym ku dołowi krótszym ramieniem. Na stole stał nieduży wazonik z czerwonymi różami. Także łóżko zasypane było czerwonym kwieciem.

– Oto mistrzowskie złączenie etyki z estetyką: skutek krzewienia obu tych dziedzin – Kallimach z uznaniem pokręcił głową, czyniąc aluzję do tytułu Sfagosa – *magister iustitiae*, mistrz świętej sprawiedliwości nad złoczyńcą skutkiem ją okazujący.

– Patrzcie, jakimi zabawkami dysponuje – Drzewicki z Korwinem wyciągnęli ze skrzyni topór w kształcie półksiężyca. To przypominające płetwę śmiercionośne narzędzie przykuło uwagę Tuscoscyty. Z pewnością zetknął się z podobnym rynsztunkiem w czasie swych orientalnych wojaży.

– A tu co mamy? – Morsztyn podniósł wieko wiklinowego kufra. Wyciągnął z niego pudełko z pomadą do włosów. – Cóż to za nowy obyczaj z tym paskudztwem!? – dziwił się dalej rajca. – U hutmana ratusznego widziałem rachunek opiewający na dwie beki tego świństwa!

– U hutmana? – zastanowił się Kallimach i w zamyśleniu zaczął gładzić wilgotne jeszcze od fosy ubranie.

Kosz na szczęście okazał się po brzegi wypełniony pachnącymi i równo złożonymi białymi koszulami.

– Są chyba najłatwiej ściągalne na świecie... – zakpił.

– Co? – spytał Heydecke, przecierając oczy i wpatrując się w otwór strzelniczy.

Po przeprawie przez kanał zaczął dochodzić do siebie.

– Zdaje się, że ściąga się je po dekapitacji...

– Taki to miewa przywileje... – westchnął ubogi scholar Korwin.

– Przebierzmy się – powiedział Kallimach. – Nie mamy mu czego zazdrościć – wyjaśniał. – Kat, który w ten sposób pozwala odebrać sobie basztę, sam może szybko dołączyć do ich właścicieli. Nikomu nie piśnie słówka o tym, co się stało.

Morsztyn wręczył każdemu czystą koszulę.

– Moje ptaki! – zapiszczał nagle Heydecke, gapiąc się wciąż w szparę między cegłami, która tworzyła przed nim wąskie okienko. Z rozpaczy przestał przecierać oczy. Wyglądał teraz na przenikającego ścianę wizjonera.

– Ptaki! – rajca uśmiechnął się drwiąco, poklepał się po głowie, jakby zatrzepotał skrzydłami, a następnie udał, że wypuszcza stamtąd ptactwo.

– Mam tu coś, co zainteresuje waćpanów – sztuczny spokój w głosie Drzewickiego dobiegającym z góry, niewątpliwie skrywał jakąś sensacyjną wiadomość. Wyszliśmy więc po kolei stromymi schodkami i dalej przez otwarte drzwiczki na chodnik obrońców, gdzie przebywał Drzewicki. Owiał mnie lekki wietrzyk. Wtem poczułem napływ niezwykłej mocy, bijący od tego wojowniczego stanowiska. Ciągnęło się ono wąskim pasem po grzbiecie muru wokół niezmierzonego, gigantycznego cielska Krakowa. Popatrzyliśmy na miejsce, które z tej niebosiężnej instalacji wskazywał herold nocy, Drzewicki.

Po naszej prawej stronie, z dolnej części ciemnego tunelu, na którego końcu świeciła olbrzymia kula księżyca – zbliżał się do nas, podnosząc się i opadając, sznur drgających, żywych punkcików. Tworzył on coraz to nowe zakola różnej wielkości, zmieniając bezustannie swój kształt i pozostawiając za sobą kolorową smugę. W pewnym momencie ta migotliwa lina zakręciła największą z dotychczasowych pętli. Osiągnąwszy punkt najwyższego wzniesienia i znalazłszy się u kresu napięcia, niby to zatrzymała się na chwilę, a następnie rozsypała w nieprzebraną gęstwinę bezgłośnie opadających na ziemię wielobarwnych liści.

Heydecke miał ogród, prawdziwe cudo na przedmieściach Krakowa, w którym hodował przedstawicieli wszystkich gatunków ptactwa z całego świata. Były tam i niewielkie *aves serenofictae* o pięknym lazurowym upierzeniu i parze niezwykle delikatnych, ale zarazem mocnych i ostrych jak brzytwa skrzydełek. Były też olśniewające *ornithes aurigenae*, które przeszywały niebo złotą smugą, i *makairoi poikilotrones* przynoszące pocieszny widok niebywale zwielokrotnionej liczby tęcz.

Wszystkie te ptaszki chronione były przez bardzo cienką, prawie niewidoczną siatkę, którą ptasznik Heydecke regularnie przepatrywał. Zdejmował ją co jakiś czas, a ptaki przebywały wtedy zamknięte w karmniku, zerkając ciekawie przez malutkie otwory wywiercone w bukowym drewnie. Heydecke karmił je osobiście i sam je wypuszczał, kiedy już siatka była ponownie rozpostarta ponad ogrodem. Tym razem jednak nie porozumiał się ze swoim pomocnikiem lub też – co bardziej prawdopodobne – zapomniał, jakie poczynili w tym względzie ustalenia. Ptaszki owe stanęły przed otwartymi na oścież bramami ku światu, a znalazłszy się wobec nieba, będącego wszak ich przyrodzonym miejscem bytowania, uległy naturalnemu impulsowi i wzbiły się całą gromadą w powietrze, napełniając je nie znanym mu do tej pory hałasem. Okrążywszy wieże kościołów, przekroczyły granice Krakowa ponad murami miejskimi i udały się gdzieś na północny wschód, w kierunku Wesołej i doliny Prądnika, by teraz nadlecieć rojnie z powrotem.

– Niewiarygodne – powiedział Ursinus. – Zupełnie niewiarygodne.

Nadzwyczajny, żyzny deszcz, który zrosił pogrążony w mrokach, opuszczony padół, na powrót oderwał się od niego niejako wbrew prawom natury i zawisł u góry srebrnej tarczy księżyca w postaci drżących i połyskujących światłem kropelek.

Profesor Jan Aesticampianus przeczesał palcami popielatą czuprynę, jakby chciał sprawdzić, czy i w niej ptaki nie uwiły swojego gniazda, a nie znalazłszy ich tam, pokiwał głową z niedowierzaniem i wpatrzył się w niecodzienny widok.

Nagle z lewej strony, gdzieś od Kleparza, z którego i my dziś nadeszliśmy, nadleciał cień i zawisł nad całym lunarnym zgromadzeniem. Przez chwilę przyglądał mu się z góry, oszołomiony być może wielorakością bytu, którego powietrzni ambasadorzy tak licznie zebrali się w nocnym królestwie Selene, a następnie skłoniwszy głowę w pokornym ukłonie, zapuścił się w sam środek owego wesoło rozmigotanego stadka. Zaraz potem w dalekich ciemnościach rozległ się dźwięk, który dotarł aż do spokojnej powierzchni Rudawy tworzącej hen, hen w dole, wiele łokci poniżej naszego stanowiska, fosę – z tej wysokości wyglądającą na dosyć wąską – która niezauważalnie okrążała Kraków, wilgocąc stopy nieruchawego Wawelu.

Był to krzyk – tak przeraźliwy, że wydało nam się, jakby to poszczególne dusze każdego z nas zaczęły nawoływać do pozostałych, a potem wszystkie razem, sprzęgnąwszy się, zakrzyczały najbardziej doniośle, zupełnie

nie swoim głosem. Ów głos rozległ się w imieniu kogoś, kto sam od dłuższego czasu nie mógł się już poskarżyć.

Popatrzyłem na pozostałych uczestników Fiolowego konduktu. Wszyscy byli tak samo oniemiali jak ja.

– Niewiarygodne – powtórzył znowu machinalnie Ursinus.

Tak mi się przynajmniej zdawało. Tym razem jednak Jan Beer miał na myśli co innego, a mianowicie – zawartość schowka, który otworzył się pod opadłym z wrażenia na ścianę baszty Tamaryszkiem. W skrytce znajdowało się sporo grubej biżuterii, głównie złote pierścienie, pasy i guzy. Czego tam zresztą nie było: prócz nieużywanych monet i pokrytych patyną płacideł, pamiętających chyba najazdy tatarskie, stosy nikomu nie potrzebnych śliczek, podćwiczy, porcedeli, leniwek i latawczyków.

Nie wzięliśmy wszystkiego, Kallimach nie oparł się saraceńskiemu mieczowi, poza tym interesowało nas tylko kilka ozdób. Nie przywiązujemy znowu takiej wagi do swojej prezencji: rzecz jasna, bez brylantyny stosowanej przez Jana Kunasza nie mogliśmy się obejść.

Rozdział 20

Jeszcze za czasów *Vladislao Jogaily,* ojca miłościwie nam wówczas panującego Kazimierza Jagiellończyka, z siedziby krakowskich rzeźników wyszło w stronę ratusza słabo zakamuflowane ostrzeżenie: „Czekajcie tylko, czekajcie, żeby między radą a pospólstwem nie przyszło do tego, co we Wrocławiu się dzieje!". Zaś rajce grodu nad Odrą nie przeżywali wtedy pomyślnego okresu, a warto wiedzieć, że już niedługo mieli jeden po drugim położyć głowy pod rzeźnicze tasaki nadające się do tego w równym względzie, co do krojenia wołowiny. Rzecz szła o sprawę błahą w oczach rady, a mianowicie o jej skład. Plebs wspominał co prawda o dawnych uchwałach, które zobowiązywały rajców do dbania o dobrobyt całej społeczności miejskiej, ale czy taki motłoch może mądrze przemawiać w sprawie rzeczywistej technologii wykonywania władzy?

Zwięzły komunikat masarski trafił do przekonania panom z krakowskiej Rady Miejskiej. W tej sytuacji, przejęci dobrem publicznym zrobili wszystko, na co ich było stać. Uposażyli zatem dwudziestu posiepaków. Uzbrojeni po uszy, pilnowali oni odtąd ustalonego w mieście przez najwyższych przekupniów porządku – *ordo mercatorius.* Żeby ułatwić sobie pracę, podzielili nadwiślańską metropolię na cztery części, siebie zaś na pięcioosobowe oddziały. Na pokawałkowany Kraków składają się od tamtej pory kwartały: Grodzki, Garncarski, Rzeźnicki – proszę docenić łaskawie subtelną aluzyjność nazwodawców – oraz Sławkowski. Po nimż to właśnie kroczyliśmy.

Jest w tym kwartale aleja, odbiegająca od tytułowej Sławkowskiej w kierunku kościoła Świętego Szczepana i murów, zwana dla imienia mistrzów cechowych ją zamieszkujących, Szpiglarską, lub też *platea Speculatorum*, co można przetłumaczyć jako „platońska jaskinia". Innymi słowy, ulica należy do wytwórców luster. Słynni zaś krakowscy zwierciadlnicy zawieszają w zakratowanych gablotach na murach swoich domów pokazowe obiekty swej pracy, wykonane z najlepszej na świecie, pierwszorzędnie wypolerowanej blachy.

Wracając do króla Władysława, władca ten, skończywszy lat osiemdziesiąt cztery, wybrał się kiedyś wczesną wiosną do lasu, posłuchać, jak to ujmuje kronikarz, „słodkiego śpiewu słowika". Mimo wieku, podobnie jak nasz profesor Jan Aesticampianus Starszy, odznaczał się mocnym zdrowiem i młodzieńczą siłą. Kiedy żenił się po raz czwarty – i ostatni – z Zofiją Holsztańską, miał lat siedemdziesiąt i wciąż wykazywał pełną witalność.

Stary Litwin miewał już jednak chwile zamyślenia. Przysiadłszy w borze na mchu rozmarzył się bardzo i ułożył wygodnie swe ciało na ziemi. Dookoła niego oddychała cicho budząca się powoli do życia puszcza. Jego puszcza, nieokiełznana, trochę chropowata, nieprzystosowana do salonów, a jednak mogąca zmieść każdego jednym, wydobytym z głębi swych przepastnych trzewi pomrukiem. Tak jak on niegdyś pod Grunwaldem konnicę tego przemądrzałego, noszącego krzyż Pański, niczym niewieścią ozdóbkę, „katolika otwartego" i „Europejczyka", Ulrika von Jungingena. Czy gdyby nie on, byli poganin, cała ta nowoczesna hałastra wyznawców Cieśli z Galilei, krocząca w glorii oświeconych przedstawicieli

Zachodu, chodziłaby jeszcze po ziemi? Przecież bez kłopotu mógł ich wytrzebić co do jednego... A jednak zawahała się jego ręka... Zrobił to z dwóch powodów. Po pierwsze, chciał zachować równowagę między Rzeczpospolitą a Litwą, bo panowie z Korony – jakkolwiek zainteresowani sojuszem – nie do końca przejawiali szczerą troskę wobec jego porosłej lasem ojczyzny. Po drugie, miał dobre serce. Wstyd może przyznać, ale nie potrafiłby wykazać się taką bezwzględnością, aby nad przeciwnikiem z podciętymi skrzydłami stanąć z odsłoniętym mieczem w dłoni. „To musi się kiedyś zemścić – myślał pogromca Krzyżaków – ludzie nie lubią dobroci. Powoduje ona u nich oburzenie, a u niektórych wręcz fanatyczną, trwającą nieraz całe życie nienawiść. Oj, pokażą nam jeszcze synowie rzeszy niemieckiej – a jeśli nie oni, to z pewnością ich potomkowie – co też spoczywa na dnie ich dusz!".

Król wciągnął w nozdrza świeże, leśne powietrze. Zamyśliwszy się głęboko nad tajemnicami swego życia i losem przyszłości, król nie dostrzegł, że już dawno słońce, które skoro świt przybyło tu znad Jasiołdy i Szczary, znalazło się za drzewami.

Ziemia w każdym razie była jeszcze wilgotna i zimowa. Monarchę zbudził więc przejmujący chłód. Zdawało mu się wręcz, że jego ciałem zawładnął stary północny demon z dawno porzuconych wierzeń. „Tęgi mróz, chyba nie popuści" – pomyślał król. W niecałe dwa miesiące później już nie żył... Kronikarz nie podaje, czy nad ruską puszczą tamtej nocy wzeszedł księżyc.

Jak wówczas ojciec naszego władcy swoje, tak my teraz ciało naszego zasłuchanego w ptasie trele, śpiącego przyjaciela złożyliśmy na ziemi. Jej brat – ogromny biały lampion – oświetlał teraz nad wyraz jasno platońską uliczkę, wywołując niespotykane nigdzie na świecie zjawisko, któremu postanowiliśmy się przyjrzeć z bliska. Ruszyliśmy więc ulicą Szpiglarską. Pomiędzy zawieszonymi z obu jej stron lustrami świat nasz mnożył się, tworząc przepastne bezkresia w radosnej i niczym nieskrępowanej kreacji.

Także członków Sodalitas litteRaria Vistulana było w nim nieskończenie więcej: była tam niezliczona liczba Kallimachów, niezliczona liczba Drzewickich, Celtisów, Ursinusów, Morsztynów, Heydecków i Korwinów. Szczególny obrazek stanowiła para łużyczan. Z rozchwianych Raczych ciał księżycowa poświata utworzyła przedziwną kosmiczną machinę, poruszającą się zygzakiem we wszystkich możliwych kierunkach. Uznaliśmy, że takiej okazji nie można zlekceważyć.

– Doszliśmy do punktu, w którym oto sama Natura domaga się przyspieszenia i idzie nam w sukurs z ofertą przejażdżki na własnych barkach – powiedział Kallimach.

Odpowiadając na jej wielkoduszne zaproszenie, dosiedliśmy spoglądających na nas Raków, którzy w tym celu nadstawili grzbiety, robiąc z nich coś na kształt siodeł. Ruszyliśmy majestatycznie w szpalerze pysznie błyszczących luster. Krocząc tak wolno po tym padole, w utworzonym przez nas gigantycznym czworochodzie, czuliśmy, że sprzyjająca nam tej nocy Natura, w jakiś niezwykły sposób zetknęła się z niebem.

– Nie masz szczytniejszych wojsk, nad chlubny zaciąg Pierwszego Idealisty! – zawezwałem.

– Za srebrne zastępy mistrza Srebro i jego ucznia Sreberko! Bliżsi bogom! – odpowiedział Kallimach, robiąc aluzję do hiszpańskiego znaczenia imion Platon i Platina. Pomyślałem, że może jednak coś było na rzeczy z tą jego hiszpańską genealogią.

– Na wroga! – odezwał się dzielny „koń", profesor Jan Aesticampianus Starszy.

Ruszyliśmy do przodu, wydając bojowe okrzyki. Natarliśmy z furią na naszych ciemiężycieli.

Byli wśród nich przede wszystkim różnej maści scholastycy, których dla ich bandytyzmu, podłości i świństwa, wszelako zawsze im wspólnych, ochrzciliśmy także nowym mianem: *communiści*. Na podstawie mego obecnego stanu wiedzy włączyłbym do nich także farbowane lisy, które to niby wraz z nami sprzeciwiały się scholastycznemu reżimowi, ale jak przyszłość pokazała, z powodów wyłącznie ambicjonalnych i egoistycznych. Tych to, dla ich zwulgaryzowanej wobec naiwnego ludu dewizy: „róbta, co chceta", nazywaliśmy wtedy bez uszczypliwości *liberałami*. Z nich można by wyodrębnić pewną liczbę Żydów, którzy gorliwie wprowadzali scholastyzm do naszej sarmackiej ojczyzny i nie mieliby nic przeciw niemu, gdyby w pewnym momencie nie pojawiły się wśród jego wyznawców wrogie im akcenty. To zagrożona frakcja scholastyków, ratując swoją formację przed klęską, usiłowała zrobić z wiecznych koczowników kozły ofiarne. W swoim czasie okazało się jednak, że owi zbuntowani Żydzi walczą tylko we własnym interesie. Kiedy więc osiągnęli już odpowiedni dla siebie poziom praw i wpływów, zaczęli wspierać wrogich jagiellońskiemu społeczeństwu scholastyków. Jeden z nich, lukratywnie ulokowany, którego nazwisko tutaj litościwie pominę, stworzył ulotny druk, nawiązujący tytułem do pierwszej w dziejach Polski wolnej elekcji. Niestety wyniosła ona na tron Jana Olbrachta – Drason niewiele pomylił się co do charakteru przyszłych rządów Rzeczpospolitej. Ten to syn scholastyka nazwał ją „Pismem Wyborczym" i z tej swoistej „agory" z gronem popleczników atakuje członków rodzimego społeczeństwa, chcących oczyścić swój kraj ze scholastycznej zarazy.

Na tych to wrogów ruszyliśmy, aby odebrać im podstępnie zajęte tereny, które zachęcały do ich zagospodarowania. Być może ze środka tych multiplifikujących się światów nawoływały nas nasze przyszłe żony i dzieci, nęcąc do zaludnienia owych całkowicie dziewiczych przestrzeni. Niestety, wracając, natrafiliśmy na cmentarną aleję złożoną z samych wyłącznie Fiolów. Przy okazji niejako wzmogło się we mnie wrażenie dotarcia przez nas do kresu praktycznych możliwości, gdyż owa platońska materia w pewnym sensie nie była spójna z podarowanym nam czasem. Te dwie formy tworzące uniwersum rozbiegały się w dwóch kierunkach z oszałamiającą prędkością.

Zabraliśmy leżącego na noszach sodalitę (u Dany służyły one do wynoszenia na świeże powietrze podpitych, a niechcących płacić za pokój gości) i udaliśmy się z nim do Drzewickiego, który mieszkał najbliżej cmentarza Świętego Sebastiana, gdzie zamierzaliśmy pochować Szwajpolda Fiola.

Przeszliśmy ostrożnie przez ciężkie łańcuchy, którymi z dwu stron zamykana jest na noc ulica Grodzka, i dotarliśmy do kamienicy zwanej od herbu, który znajduje się nad jej portalem, Domem pod Lwem. Ciekawi świata i kochający obce krainy krakowianie upodobali sobie zresztą w egzotycznej menażerii, która masowo zapełnia ich symbolarze.

Króla dżungli zastaliśmy w miejscu, do którego, jak powiadają, i ten monarcha udaje się na piechotę. Na północ od stanowiska, skąd czuwa on nad powierzonym mu rewirem – aż do fosy znajdującej się za wschodnią częścią murów miejskich – biegnie zbudowany przez ojców dominikanów kanał z publicznymi futrynami, przez amatorów antycznej terminologii zwanych też *latrinami*. Znakomity szereg tych stanowisk obsadzony był całkowicie przez użytkowników, z których każdy zostawił na zewnątrz oparty o ściankę fragment zbroi. Na grubej blasze wygrawerowane były znaczki straży miejskiej stołecznego miasta Krakowa. Boksy robiły wrażenie starożytnego smoka wawelskiego... ziejącego specyficznym ogniem. Pokonaliśmy go, nawiązując do prostodusznej tradycji Szewca Dratewki. Każdy podparł się mianowicie dłońmi i przeszliśmy na klęczkach w baranim szeregu obok splecionych z księżycowymi nićmi blaszanych kolczug.

Palce jednej ręki unurzane mieliśmy w tłustej maści, jakiej do pielęgnacji fryzjerskiej używał Jan Kunasz. Zatrzymując co jakiś czas nasz równy szereg, nacieraliśmy jak na komendę pozostawione samopas zbroje. O ile jeszcze parę chwil wcześniej doświadczyliśmy życzliwości Natury, która udostępniła nam swoje zapożyczone od Sommerfeldów zwierciadlane plecy, to teraz – chodząc po Krakowie na czworakach i wąchając proch ziemi w pozycji najgłębszego uniżenia – odnieśliśmy wrażenie, że to nasz zaprzęg pociąga za sobą cały świat.

Następnie Morsztyn oddał pudełko z pomadą Drzewickiemu, który zamknął je szczelnie i poniósł ze sobą do domu.

Rozdział 21

W porannym blasku słońca Stanisław Selig siedział na skraju najwyższej w mieście wieży i krzyczał:
– Ratuszne pachołki! Scholastyczne świnie! Burmistrz poruszył ustami, żeby wydać komendę swoim ludziom, ale rozmyślił się i zamilkł. Wyglądało to, jakby coś nieprzyjemnego poczuł pod językiem. Nabrał do ust powietrza, nadął je niczym balon i przez chwilę trwał w takiej pozycji. Następnie drobnymi pyknięciami wypuścił powietrze... Na jego szyi wystąpiły grube żyły, a twarz mu spurpurowiała. Tak samo efektywnie zdołałby zareagować na doniesienie (zupełnie nie wiem, kto mógłby je złożyć), iż grupa kilku krakowian złamała ostatniej nocy wszystkie przepisy magistratu.
– Więc co robimy? – zwrócił się do mnie z posępną miną. Wolałby oddać mnie katu, niestety Sfagos nie stawiał się na kolejne wezwania.
Szef kupczyków dysponował strażackim materacem, szczytnym osiągnięciem Ratusza, splecionym z kilkunastu tysięcy baranich jelit, a na brzegach zaopatrzonym w grube uchwyty z tego samego budulca przeznaczone do trzymania przez osiłków. Zaczęli go rozkładać ponad grobowcami cmentarza otaczającego kościół Mariacki.
Popatrzyliśmy na materac, spod którego można było dostrzec niektóre epitafia, następnie zmierzyliśmy wzrokiem odległość pomiędzy nim a punkcikiem będącym sodalitą, Stanisławem Seligiem.
Rak Młodszy spojrzał na mnie pytająco.

– Rezygnujemy – powiedziałem.

Burmistrz spuścił wzrok i podreptał w kierunku mieczników. Przy nich oglądnął się jeszcze na nas. Wreszcie dał im znak i cała grupa ruszyła w stronę ratusza. Odetchnęliśmy z ulgą. Zostaliśmy na rynku sami, jeśli nie liczyć grupki gapiów i zbłąkanego gołębia, który niewiadomo jak znalazł się w tym miejscu. Ptaki te niezwykle rzadko pojawiają się w Krakowie.

Prócz przyczyn politycznych do desperacji Statilius Simonides miał także powód prywatny. Matka jego natychmiast otarła łzy po mężu, a ojcu Statiliusa, obywatelu krakowskim, Hermanie. Wychodząc za organistę, którego miejsce pracy znajdowało się o kilka pięter niżej od obecnej platformy protestacyjnej jej syna, uczyniła go pasierbem. Statilius Simonides nie mógł darować jej tego czynu.

Cóż, trochę go rozumiem! Mój ojciec też ożenił się wkrótce po śmierci mej niezapomnianej matki... Swoją drogą, tych dwoje ciekawie się nazywało: stary Pryszcz i nowa Pryszczyca!

Uratował Stasia hejnalista, który miał zwyczaj w piątek, dzień postny, przychodzić na służbę boso. „Zdziwił mnie mój spokój – opowiadał nam później – podobny odczułem dawno, w czasie bitwy, gdy niespodziewanie spłynęła na mnie śmiałość w najbardziej beznadziejnej już sytuacji".

Nie wiedząc jeszcze, co zrobić, rozkruszył chleb dla ptaków, stojąc w oknie za plecami Simonidesa. Wtem nadleciała cała ich barwna gromada, tak kolorowa, że trębaczowi mimowiednie stanęło w myślach wezwanie kościoła, w którym pracował. Podobnie „wniebowzięty" wydawał się według niego Statilius, którego ptactwo niejako wepchnęło w kierunku okna. Przylgnął do niego głową, a wówczas hejnalista chwycił go oburącz za czerep i wciągnął do środka.

Skomplikowany umysł z tego naszego Stasia i nie za bardzo wiadomo, jaki rodzaj kuracji mu wyznaczyć. Odprowadziliśmy Simonidesa na Kleparz. Tym razem pokonaliśmy znaną drogę, aby go zostawić w szpitalu Świętego Walentego. Niechże ten znajomek Wita, specjalisty od nieokreślonych ruchów, martwi się wraz z nim nad przypadkiem, nie całkiem może świętego, ale wiernego aż poza grobową rodzicielską deskę, syna Hermanowego.

Kallimach z samego rana wyjechał na Węgry. Zamierzał przygotować tam grunt pod wątpliwe wystąpienie, wówczas jeszcze królewicza Jana Olbrachta, w sprawie korony węgierskiej. Przy okazji zabrał ze sobą okazały pierścień znaleziony w skrytce katowskiej. W jego kamieniu wyrzeźbiony był fragment krakowskich murów, a nad nim postać Stanisława ze Szczepanowa bez nimbu. Brak tego atrybutu jest wymowny ze względu na nad wyraz wstydliwą przyczynę, dla której insygnium burmistrzowskie znalazło się pośród płacideł Sfagosa.

Spojrzałem do góry. Reszta gwiazd i wąski skrawek księżyca znikał szybko, wtapiając się w jasny błękit. Dla nas noc także skończyła się i powoli musieliśmy odejść do swoich zajęć. Po niebie wciąż krążyły ptaszki Heydecke, wyczyniając radosne kołowrotki. Nikt nie domyśliłby się, że w ich gronie brakuje jakiegoś osobnika.

Rak także popatrzył w niebo i przyszło mu chyba do głowy to samo, co mnie.

– Szwajpold Fiol – rzekł, mając na myśli najbardziej puste na świecie miejsce.

Po jego twarzy spłynęła łza i zalśniła w pełnym słońcu. Jedna łza wypływająca z jednego oka. Zapamiętam ją do końca życia.

Rozdział 22

Za czas jakiś miałem możność zapoznania się z relacją uzupełniającą powyższy cykl zdarzeń, opowiedzianą przez mego wykładowcę matematyki. Profesor Brudzewski jest przykładem człowieka, który ufając, dojedzie do celu nawet wbrew przeszkodom, jakie sam stawia przed sobą. On również przekazał mi spostrzeżenia bystrego królewskiego dziecka, z którym ten astronomicznie wykształcony mąż podzielał skłonność do maryjnego kultu. Istotne fragmenty dodali ze swej strony Kallimach i Turek o imieniu Ali. Turka tego nie znałem wcześniej, natknęliśmy się jednak na siebie w nagłych i niebezpiecznych dla niego okolicznościach (być może nawet uratowałem mu życie), więc zrodziła się między nami pewna zażyłość. Przybył on pod słowiański Wawel ze wspomnianą delegacją islamską jako jej koniuszy.

Poniżej postaram się zrekonstruować ich wersję.

* * *

Profesor Wojciech Albertus Brutus wybrał się na przejażdżkę swoją dwukółką. Tak właśnie można by rzec: wybrał się na przejażdżkę. Gdyż osobowość profesora sprawiała, że podróż – bez względu na rangę celu – była zawsze tylko podróżą i aż podróżą! Dla profesora jakże ważny był ruch!

Wyruszył ze swego domu po uprzednim zaprzęgnięciu Siwka, oddalając się od Wawelu. Tym razem zabrał ze sobą pled. Mimo pełni lata, pora była wieczorna, a profesor nie chciał dopuścić do tego, żeby zmarzły mu nogi. Tym bardziej, że ostatniej nocy nie zmrużył oka, poświęcając się całkowicie obserwacji. Ostatnio badał związki pomiędzy sferami niebieskimi a kształtem ludzkiego kosmosu, zwłaszcza zaś architektury. Interesował go przede wszystkim Gwiazdozbiór Lutnia, który kształtem nawiązuje do obrysu jego miasta. Brak snu wywoływał teraz uczucie chłodu. Niestety, jego wiek sprawił, że soki życiowe, niegdyś burzące się w profesorze, przestały już tak gorąco krążyć. A właśnie w nogach upatrywał siedziby owej tajemniczej instancji, której istnienie nie do końca zostało potwierdzone przez naukę, czyli duszy ludzkiej. Intuicyjnie czuł, że jeżeli ma ona gdzieś konkretne umocowanie, to bez wątpienia tam.

Czyżby zatem sławetna *anima* mogła przebywać w tak niskich (i umieszczonych w mało zaszczytnym sąsiedztwie...) rejonach ciała? Profesor zachichotał. Nasz mistrzuniu, Arystoteles, znowu palnął głupstwo!

Zaiste, tak! Z pewnością ona tam jest! Miał takie przypuszczenia od dawna. Czyż nie dlatego przystał do tego dziwacznego towarzystwa? Prócz najstarszych jego członków, resztę traktuje przecież na równi ze swymi dorosłymi dziećmi! Prym wiedzie tam, zdaje się, ten Tuscoscyta gotowy w każdej chwili wyciągnąć nóż lub truciznę. Drugi, to germański poeta, po którym lepiej nie spodziewać się najlżejszego zainteresowania dla spraw niezwiązanych jakoś z jego teutońską misją. A jednak został zwabiony, być może przez swój ugruntowany rodzinnie i ideowo antyscholastyzm? Wciągnęli go chętnie do Sodalitas litteRaria Vistulana – ta nazwa zresztą też bardzo przypadła mu do gustu – nie wymagając nawet respektowania najważniejszej z zasad przyświecających temu niezwykłemu zgromadzeniu: stąpania na dwóch nogach po ziemi.

Albertus Brutus zastanawiał się, dlaczego nie poszerzyli oni oryginalnego postanowienia na inne obszary, leżące poza Krakowem. Wszak chodzenie po całej Bożej ziemi bez wyjątku, to najbardziej fascynujące zadanie, jakiemu może oddać się człowiek. On, profesor astronomii, wiedział o tym doskonale. Czy istnieje coś bardziej ekscytującego niż śledzenie tych wszystkich szlaków, dróg i ścieżek, po których poruszają się ciała niebieskie? A dostrzec, więcej nawet, odczuć w pełni ich ruch, można tylko poprzez możliwie największe przybliżenie się, przylgnięcie niejako do skóry ziemi! Skóry wrażliwej i zasługującej na szacunek. Profesor Brutus zakochany był w Ziemi! Zakochany był też w Sarmacji, której najświetniejszą reprezentacją wydało mu się miasto, gdzie właśnie toczył się, cicho furkocząc, jego powozik...

Myślał także o fatalnym stanie Fiola, ich „światłego człowieka" (sarmacka wersja imienia Szwajpold brzmi: Światopełk). Doniesiono mu o nim przed chwilą. Wiadomość ta wstrząsnęła nim. Odebrał ją tak, jak gdyby chodziło o jego syna. „Niszczycielskie obyczaje zapanowały pośród nieszczęsnej młodzi... Skąd one się wzięły?". Onże to, Fiol, skonstruował jego wózek. „Wózek dla profesora!" – przedstawił swe dzieło, co lud wawelski, który lubił nadawać własne wersje powszechnym nazwom, szybko przechrzcił na „wózek na resorach".

Jadąc królewską ulicą, spoglądał na mijane domostwa. Przypatrywał się tworzącym je figurom: rombom, trapezom, kwadratom, prostokątom, trójkątom, większym i mniejszym kołom. Przypatrywał się zdobiącym je cieńszym i grubszym liniom – ślimacznicom, girlandom, rozetom. I patrząc tak na tę przeznakomitą kolekcję kształtów, stopniowo dochodził do wniosku, że istota tego geometrycznego zbioru pomniejsza go do rozmiarów wręcz kameralnych. Wszak, ni mniej, ni więcej, tylko jest to papeteria, do której zapakowano tajemnicze losy ludzkie! Losy o najprzeróżniejszej zresztą wartości... Profesor po raz kolejny skłonił głowę przed rządzącą z ukrycia ludzkimi poczynaniami Mądrością...

Minął drugie łańcuchy przy ulicy zamkowej, na razie jeszcze odwieszone, i wjechał na Ring. Posuwał się najdłuższą w świecie ulicą okolną, najdłuższą, bo otaczającą obszerny plac handlowy, posuwał się niejako w odwrotnym kierunku wobec słynnej *Via Regia*, którą zwykle jechali w pochodach intronizacyjnych królowie. Z lewej strony mijał podobny do nowo narodzonego oślątka ze złączonymi niezgrabnie nogami budynek Małej Wagi, który wielkością dorównywał stojącemu w jego pobliżu kościołowi Świętego Wojciecha. Subtelny zmysł estetyczny profesora zasygnalizował mu, że coś niewłaściwego kryje się w tych proporcjach. Pokręcił głową z niesmakiem: miejsce, w którym legalizuje się przywileje związane z prymitywną władzą pieniądza, nie powinno przewyższać cichego sanktuarium. Zasępił się: Boże, kim się staliśmy? Czy nawet nieświadomie będziemy Cię obrażać? Jak zawsze, jak od pierwszego momentu, kiedy to skórka – po jabłku – nie była warta wyprawki? Już za chwilę jednak profesorowi wrócił humor: nie mógł wewnętrznie nie uśmiechnąć się do kolosalnego pudła Sukiennic, które chyba dzięki swojej całkowitej zwyczajności wyeksponowanej odkrywczo w samym środku miasta, budziło w nim tak rozweselające uczucie. Promieniowały egzotyką – spokojem i sytością hipopotama. Profesor ziewnął, rozdziawiając usta jak ten dziki zwierz, i zamknął oczy, by pod powiekami kontemplować z błogością ich letarg.

* * *

Ocknął się dopiero nad wodą... Zasnął widocznie, a Siwek, jak to miewał w zwyczaju, instynktownie zawrócił i przeszedł jeszcze dalej. Może nawet objechał cały Rynek. Ostatnie, co profesor zapamiętał, to mijane po prawej stronie tarasy z wielkimi drewnianymi baldachimami, tak strzeliste, że przypominały palmy kokosowe. To zadowoleni z życia patrycjusze zasiadali na nich wieczorem, aby wraz ze swoimi żonami prowadzić niezobowiązujące pogawędki na aktualne tematy. W tym celu wznieśli owe przedproża na czołach swoich kamienic. Odizolowani od powszechnego zgiełku, patrzą, rozsiadłszy się wygodnie, na teren poniżej, teren od jutra ponownie przez nich eksploatowany. Od jutra – bo dzisiaj nic ich już nie obchodzi.

Dostojne matrony lica natarte mają wieprzową krwią i posypane z lekka tynkiem po odbyciu wieczornej toalety. Służba przygotowuje kolację, a dzieci bawią się w uliczkach śródblocznych na tyłach domów w rycerzy lub damy dworu.

Profesor raz jeszcze zwrócił uwagę na wspaniałość łykowskich strojów. On, intelektualista, nosił ubiór w jednolicie czarnym kolorze. Mieszczanie zaś folgowali sobie bez miary, przyodziewając się w zielone, niebieskie, żółte, lub też całkowicie pstrokate żupany.

Jakże różne są mentalności ludzkie! I kiedy nastąpi wreszcie ich ostateczne zestawienie, skatalogowanie, tak by można było domyśleć się ich sensu i wzajemnych relacji? Zapewne kiedyś, gdy nadejdzie odpowiedni czas...

Nad nim rozciągała się noc, gwiazdy wysypały się na niebo jak torebka grysiku rozerwana przez stadko berbeciów.

Profesor westchnął. Pozwolił jeszcze, by koń przestał pić, a następnie wezwał go głośnym „Nazad!" do odwrotu.

Przebywali w sąsiadującym z Krakowem Kazimierzu... Siwek wyciągnął łeb z wody i, parskając z zadowolenia, wycofał się na suchy ląd.

Owalny teren tego krakowskiego satelity leżącego na wschód od grodu, okrążała granatowa, szumiąca wstęga. Płynęła tutaj niejako w zastępstwie swojej mocodawczyni, oplatając *Casimirus* grubym szalem i czyniąc zeń wyspę.

Odnoga Wisły – *alter ego* najbardziej sarmackiej z sarmackich wód! „Fascynujące!" – pomyślał profesor.

Uczuł nabożną cześć wobec wodnego odbicia, które objawiło mu się w pomarszonej tafli zaraz za cieniem rzucanym na atramentowy nurt przez Siwka. Niósł on w stronę morza świtę złożoną z niezliczonej gęstwiny gwiazd, a pośród nich jedną – całkiem odrębną!

– Stella Maris – wyszeptał zachwycony.

Przed jego powozem z cichym szmerem mknęła, unosząc na północ swą Panią – sekretną patronkę ich bractwa – rzeka, od której imię przejmowała Sodalitas litteRaria Vistulana.

Rozdział 23

Profesor mógł jechać także inną drogą. Gdyby nie ważna przyczyna, która wypchnęła go w podróż, mógłby (po przekroczeniu nieistniejącego mostku, rozpinanego dla uczczenia wjeżdżającego do miasta monarchy, skąd chór dorodnych gładyszek obsypywał go kwiatami, śpiewając mu wdzięczne pieśni) skręcić na początku Rynku na zachód. Pojechałby wówczas Ringiem w odwrotnym kierunku, celowo opóźniając porzucenie królewskiego traktu, aby objechać *Forum* dokoła. Poruszałby się wtedy triumfalnie po linii gigantycznego łuku, zostawiając za sobą w szarym błocie jego odbicie – niewidzialną tęczę – macierz ożywionej dopiero co w wyobraźni kładki.

Mijałby wówczas po lewej stronie kamienicę Groschów wciśniętą między sąsiednie budynki i przygniecioną przez nie jak trzeci obserwator usiłujący wśliznąć się pomiędzy dwóch pozostałych. Następnie minąłby *forum carbonarum*, gdzie szermując węglem, szerzą niewyczerpane imperium czerni jej niestrudzeni słudzy. Po chwili zbliżyłby się do ratusza, w którego podziemiach jest gospoda o nazwie „Piwnica Świdnicka", w której obficie leje się znakomite piwo pochodzące ze Śląska. Sąsiaduje ona z miejską izbą tortur i dzięki tej przyległości możliwe jest tam nurzanie ust w spienionym kubku do taktu najbardziej nieprawdopodobnych jęków i zawodzeń. Za nią oczom profesora ukazałyby się kramy garncarskie, więc profesor starałby się dostrzec jakiś oryginalny kształt naczyń, nie zwracając uwagi na oddalający się za plecami

Smatruz, miejsce handlu drobnych przekupniów, którzy z uprzejmą prośbą w oczach oferują swoje skromne towary. Gdyby mocniej wciągnął powietrze w płuca, doszedłby do jego nozdrzy zapach targu rakowego, mobilnego i wciąż zmieniającego swoje położenie w obrębie Rynku – jak dwóch jego przyjaciół – Rak (młodszy) i Rak (starszy). „To zabawne! – pomyślałby. – Niedaleko przecież odnaleźć można inny symboliczny ślad obecności tych oryginałów!". Wspomniałby w ten sposób o jednej z kamienic, stojącej przy Szpitalnej w drodze do braci Duchaków, niemającej *de facto* nic wspólnego z wyżej wymienionymi osobami. Poza jednym, być może istotnym szczegółem: jakiś artysta na godle wiszącym nad bramą wejściową umieścił parę okazałych szczypiec, a wraz z nimi lądowo-rzecznego wędrowca poruszającego się najbardziej zadziwiającym z kroków – tyłem do przodu.

* * *

Przed powrotem na porzucony niedawno trakt królewski (co nastąpiłoby poprzez prosty skręt w lewo w ulicę Floriańską) profesor Brutus stanąłby przed niewykluczone że najważniejszym punktem swego okolicznościowego objazdu – monumentalnym gmaszyskiem żydowskiej rodziny Salomonów. To tutaj, w swoim czasie jego przyjaciel Celtis wystąpił z odczytem. Profesor Brutus przypomniałby sobie może, jak wchodzi po szerokich, kamiennych stopniach (ewenement! – w Krakowie większość schodów wykonana jest z drewna, nic dziwnego, że dom nazywany bywa świątynią Salomona...), a następnie zatrzymuje się u ich szczytu. Tutaj wita go nielegalna nałożnica Salomona, która jest jednocześnie jego służącą, za nią zaś szybko podąża gospodarz, pragnąc zapobiec jej nadmiernemu utożsamieniu się z rolą pani domu (do czego ku jego utrapieniu miewa przesadne skłonności). „Ta kobieta z ludu – zdaje się głosić jego oblicze – dziwnym zrządzeniem losu jak ja pochodzi z domu Izraela i stąd prawdopodobnie bierze się jej dziecinne, politowania godne zachowanie wynikające po prostu z długotrwałego, idącego wręcz w pokolenia doświadczenia drugorzędności...". Za nim wysuwa się jego żona, równie kolosalna co jego pałac, w sukni koloru szarego srebra, obwieszona grubymi śliwkami kryształów i innych drogich kamieni, przypominająca Goliata ciągnącego z trudem przez nieprzyjazną okolicę na pole bitwy.

– Pan profesor pozwoli! Zapraszamy na salony! – Salomonowic jedną ręką ściska mu ramię – jakoś za mocno, a drugą zaś pokazuje z dumą na marmurowe grawiury i bogate złocenia na stropach komnat, z których każda jest w innym kolorze: jedna zielona, po niej następuje niebieska – a ta, w której na dobre się zatrzymują, świeci żółcią jak słońce.

W jej promieniach kąpie się ten, któremu sodalici nadali pochodzący od solarnego boga, Apollina delfickiego, przydomek – Salemnius Delius.

Żydzi z Rady Miejskiej, ech!... Od jakiegoś czasu po mieście krąży hasło „Żydzi radzieccy – Żydzi zdradzieccy!"... Jakże żenujący i bezrozumny jest sposób ich bycia... Nie związani węzłem lojalności z krajem pobytu, narażają się jego mieszkańcom, szkodząc im i wyczekując w magistrackich korytarzach na ochłapy władzy. W swej dziecinnie intryganckiej łapczywości nie cofną się przed niczym: nawet przed zaprzedaniem się scholastykom. Chcąc przejąć wpływy w mieście, karierowicze ci zmieniają nazwiska i do tego jak bezczelnie: jeden z nich wprost nazywa siebie Urbanus!

Ten tutaj jest synem Piotra Salomona (brata Imbrama), a w pierwszym członie jego *nomen omen* „przydomku" pobrzmiewa echo kolejnej aluzji do quasi-sakralnego charakteru tego domostwa. Wszak nawet dziecko wie, że *salemnius* znaczy w łacinie uroczysty, odświętny.

Salemnius Delius, czyli Mikołaj Salomonowic, zwraca się ku nim, ponieważ teraz przybył też Celtis i staje w drzwiach uśmiechnięty i nieco zawadiacki, co zdarza mu się mniej więcej w połowie publicznych odsłon. Emanuje z niego kremowa energia, spotykana u niektórych odległych ciał niebieskich, odznaczających się rzadkim poblaskiem białego złota.

Jego „towarzysz", młody Salomonowic, jest gruby i potężny jak wszystko w tym miejscu. Tłuszcz kapie z niego niczym złota poświata ze strojeń. Przelewa się i, kipiąc, wydostaje się na zewnątrz jak rozgrzany smalec z dzbanka o grubych ścianach.

– Witaj, Celtisie...! – skłania się lekko i wskazuje miejsce, z którego przybyły odczyta swoje wiersze.

Ów wspina się na drewniany podeścik, jeszcze mocniej się uśmiechając, i rozwija szeroki arkusz mający przypominać zwój antyczny, lecz w obecnym kontekście przywodzący raczej na myśl talmudyczne pismo.

Celtis czyta i z jego ust zaczynają wychodzić długie, łamliwe rzędy wyrazów. Zapełniają one coraz bardziej komnatę swoją ostrą, przygważdżającą sensy obecnością. Otaczają zwalistą małżonkę Salomona, oplatają jego potajemną kochankę – która na podobieństwo pozostałych domowników – przejawia identyczne tendencje ku otyłości. Jak dotąd, udatnie chowa je pod przykryciem prężnej młodej skóry, dzięki czemu może oszukać otoczenie. Widoczne są one tylko w jej oczach, nabrzmiewających oleistą lawą i wybuchających co chwilę fajerwerkami próżności.

Celtis spogląda na nią z przerażeniem i cofa wzrok. Potem podnosi go jeszcze raz i z nadzieją wiedzie po audytorium, nie znajdując w nim jednak pocieszenia. Jak podczas drogi krzyżowej. Profesor chciałby mu jakoś pomóc, ale nie potrafi, sparaliżowany także tą gęstą atmosferą fatalizmu. Wtedy zaczyna utwierdzać się w przekonaniu, że droga obrana przez nich, humanistów, jest błędna. Sięgając po władzę, należy zwrócić się po nią do jej prawowitego właściciela – do narodu. Nie warto ulegać panice i wyrywać ją z rąk temu, kto uczestniczy w niej bezprawnie. Będzie trzeba wybrać inną ścieżkę działania. I odsunąć się od nich.

Na razie jednak Celtis dalej czyta swoje wiersze. Rytmiczne łacińskie zdania wypowiada głosem dudniącym jak rozwijane bele materiału, z których każda wysypuje przy końcu ukryte kamienie. Jego wiersze są klarowne i czyste. Może nie aż tak wzburzające jak arcydzieła największych mistrzów, ale jest przecież człowiekiem stosunkowo młodym. Być może nieuchronne cierpienia ociosają je do pożądanego stanu?

* * *

Celtis kończy i uciekają czym prędzej z Salomonowego wieloryba. Na twarzy Niemca widać zmęczenie. Idą do pobliskiej gospody, by dać skołowanym myślom wyfrunąć przez wąskie drewniane okienko.

Obaj mają podobne odczucia. Dali się nabrać na szczery i radykalny antyscholastyzm Żydów... to znaczy profesor może trochę mniej, uśmiecha się wyrozumiale pod nosem...

Celtis czyni gest mówiący: „zwracam honor!".

Bronili ich nawet przed oponentami, otaczając „filosemityzmem" jak zagrożone rośliny. O, młodzieńcza naiwności! Dziś, gdy płytkie zmiany w Radzie Miasta, nadszarpnięcie scholastycznej cenzury i zachwianie stosunkami gospodarczymi w duchu *liberalnym* okrzyknięto od razu „przełomem osiemdziesiątego dziewiątego roku", okazało się, że są oni kimś zupełnie innym, niż do tej pory im się wydawało.

Coraz głośniej o tym, że fraternizują się z powracającymi do władzy tylnym wejściem scholastykami, jakby od lat byli z nimi w najlepszej komitywie. Ponoć pokątnie robią to już bez żadnych skrupułów. A wcześniej nikt nie dawał wiary, kiedy mówiono, że dogadują się ze sobą w karczmie „U Magdaleny". Do wiadomości szerszej także od czasu do czasu przeciska się jakiś przykład niemoralnego postępowania tych, jak się okazuje, krętaczy, a ich dawnymi przyjaciółmi wstrząsają wówczas nieprzyjemne dreszcze. Z długo odkładanym gniewem stawiają sobie wreszcie nieuchronne pytanie o zaprzaństwo! Bo jakże inaczej to zjawisko wytłumaczyć...

Trzeba niestety sięgnąć do historii. A wtedy być może przestaniemy się dziwić. Kim bowiem są w istocie owi nagle narodzeni „humaniści"? Przecież to nieodrodni synowie scholastyków, którzy nigdy nie odcięli się od wstydliwego dziedzictwa ojców! Tych samych, którzy tutaj, w Sarmacji, wcielali niegdyś w życie ów wyniszczający człowieka, haniebny system. Niektórzy mówią, że robili to na rozkaz tyranów z Rusi Czerwonej, ale doprawdy, nieraz już trudno odgadnąć, kto tu wydawał polecenia, a kto je realizował?

Oni zaś zawinili podwójnie: wobec humanizmu i wobec goszczącej ich ziemi. Ta zbrodnia z przeszłości – dokonana podstępnie na niewinnych gospodarzach – wisi dziś ponurym cieniem na stosunkach Żydów z Sarmatami.

Zostawmy na boku tych obłudników i pyszałków! Wiadomo – z próżnego i „Salomon" nie naleje... Bodajby kiedyś jacyś mądrzejsi ziomkowie z ich chwalebnego narodu skłonili te swoje czarne owce do pokuty.

Celtis czuje, że ich rozmowa osiąga jakiś punkt zwrotny...

— A tak w ogóle — mówi na głos — czy nie należałoby dokonać przełomu? — W myślach zaś przywołuje Kallimacha, który jest dla niego żywym przykładem łączenia się w jedno aspiracji politycznych i literackich. — Może by tak, wspólnymi siłami, profesorze? Po to, żeby stawić opór tym karierowiczom i handlarzom szarego kłamstwa nazywającym siebie *liberałami*. Mają oni z prawdziwą wolnością tyle wspólnego, co dziura w bucie z wystającym z niej paluchem! A skołowany lud, łupiony u boku scholastyków bezczelnie z dobytku, mamiony jest jeszcze przez tych lisów fałszywymi doktrynami.

Lecz przede wszystkim, niech cały naród powstanie i zmyje z siebie brud — niech zabrzmi wokół potężny *vox populi*! A plama obrzydliwej, cuchnącej trucizny, którą wylano niegdyś na nasze podłogi — a której na imię *scholastyzm* — niech zniknie bez śladu!

Wychodzą na ulicę Floriańską. Już zmierzcha. Jednopiętrowe, przeważnie murowane w tej ważnej części miasta budynki nikną w atmosferze grafitowo-srebrnej świetlistości. Kątem oka dostrzegają Salomonowego kolosa, który tym razem nie przyciąga już ich uwagi.

Rozdział 24

W powyższej sytuacji, profesor znajdujący się na pierwszym za rynkiem, północnym odcinku *Via Regia*, mógłby zdążyć jeszcze przebyć rękodzielniczą Bramę Tworzyańską (profesor skłonny byłby ją raczej nazywać Floriańską) i dojechać do rynku kleparskiego. Jednakże, kiedy błądzący tego dnia profesor przybył wreszcie pod zajazd „U Dany", było już bardzo późno. Karczma i wszystko wokół zdawało się być pogrążone w głębokim śnie. Przywiązał Siwka do jednego z drewnianych palików sterczących rzędem z boku, na pustym podjeździe. Zapukał w drewniane drzwi, ale nikt mu nie otworzył. Wszystko tu było drewniane, cały wznoszący się przed nim zajazd i wszystkie pozostałe austerie w okolicy, których jednak profesor z powodu panujących ciemności nie mógł dostrzec. Naparł ciałem na drzwi, a one wpuściły go, ukazując wąskie, ciche schody, prowadzące na górę. Profesor wstąpił na nie. Nikogo nie zastał, więc wrócił na dół i wyszedł przed budynek.

Stojąc na uśpionej podkleparskiej drodze, zastanawiał się, co też mogło się stać. Cały zajazd był pusty i sprawiał wrażenie, jakby przed chwilą ktoś nakazał jego natychmiastową ewakuację. W powietrzu czuło się jeszcze ciepło ludzkie, w dwóch izbach, które zwiedził, leżała używana pościel, a w trzeciej stała nawet miednica z wodą. Nad piecem w kuchni wisiał chwiejący się kociołek. Profesor dotknął paleniska, nie było jeszcze zupełnie wychłodzone...

Rozejrzał się dookoła. Wydawało mu się, że za sobą usłyszał dzwon kościelny. O tej porze? Niemożliwe. Chyba ciągle jeszcze dźwięczy mu w uszach stukot końskich kopyt... Spojrzał w stronę Krakowa. Zajazd znajdował się zaraz na samym początku Kleparza. W świetle księżyca, którego sferyczny kosz ponownie wysunął się zza chmur, jaśniały wzniosłe mury Krakowa. Jego baszty wyglądały tak groźnie, że ich odkryta przez noc, zwykle niekłująca w oczy potęga, przypomniała profesorowi o faktycznej mocy *Urbs Celeberrima*.

Przypatrzył się uważniej wysokim, stromym ścianom, szarzejącym ku górze. Wydało mu się, że przy jednej z wież, na lewo od rurmusa, widzi niewielkie ludzkie postacie. Ich ruch nie był podobny do miarowego kroku strażników, a białe koszule wykluczały zbirów. Kucharze? Profesor przetarł oczy dla upewnienia się, czy jak poprzednio nie zasnął. „To jakieś zwidy!" – pomyślał. „A może to białoskórnicy z Bramy Szewskiej przyjęli ostatnio nowe uniformy w kolorze pokazującym jednoznacznie, czym się zajmują? Oni miewają nowatorskie pomysły!".

Profesor zastanowił się, co dalej robić. Jeśli ktoś o tej porze opuszcza, jak wszystko na to wskazuje, dość prędko gospodę, to musi być albo zawezwany z Krakowa albo ucieka przed czymś czy przed kimś, a wtedy czyni to w panice i w nieokreślonym kierunku.

Dwie drogi ma ten, kto chciałby ruszyć jego śladem i obydwie nie do przejścia: pierwsza z powodu zbyt późnej pory na powrót, druga – bo niewiadoma. Profesor rzucił okiem na zwodzone mosty, nieodwracalnie jak wieka trumien przylegające do bram, a następnie odwrócił się na pięcie i poszedł do gospody.

Przyłożył głowę do poduszki. Z ośrodka akademickiego jakoś udało mu się wydostać... choć, prawdę mówiąc, nie wiedział jak. Na Kazimierzu też nie patrzono na niego najlepiej. Profesor poczuł, jak rumieni się w ciemnościach i w duchu podziękował losowi za to, że nikt go teraz nie widzi. W pamięci miał obraz surowego strażnika pilnującego typowo kazimierskiej, prostej bramy, który przyglądał mu się badawczo i niechętnie. A jednak znów cudem wyjechał, dołączywszy do orszaku jakiejś ważnej persony, dla której specjalnie rozwarto podwoje. „Dość tych podróży, profesorze! – pomyślał. – Zaśnij! I niech ci się nawet przyśnią gwiazdy, wśród których lecisz w kierunku całkiem odwrotnym od zamierzonego...".

Czy gdyby profesor obrał sobie na nocleg inną izbę, wywołałby tym samym trochę mniejsze przerażenie kobiety? Być może... Niemniej jednak, fakt faktem, że wchodząc do komnaty Fiola, Dana krzyknęła tak głośno, iż śpiący koń profesora zerwał się i pogalopował w stronę Kleparza.

Nie wykluczam, że mógł to być ten krzyk, który usłyszeliśmy z murów.

* * *

– Co!? Co... to!?... – kiedy przestała już wrzeszczeć, Dana zdołała wykrztusić to pytanie w kierunku profesora, który siedział przerażony na łóżku.

– Co to? – zwróciła się jeszcze raz do zjawy, która ani trochę nie przypominała jej zmarłego kochanka.

– Pani wybaczy – powiedział uprzejmie profesor – że stałem się powodem rozczarowania waćpani! Waćpani pozwoli, że się przedstawię... Wojciech Brudzewski... zwany także Brutusem... Profesor nauk gwiaździarskich i matematyki.

Profesor zeskoczył zwinnie z łóżka, chcąc stanąć w wyprostowanej pozycji, niestety jedna jego noga znalazła się wtedy w miednicy ustawionej dla Fiola.

Profesor zamachał bezradnie rękami z wyrazem zdziwienia na twarzy, bo ruch ten przypomniał mu ów sen, który rzeczywiście się przyśnił. Runął z impetem i wielkim hałasem na ścianę do tyłu. Budynkiem zatrzęsło, a profesor, odbiwszy się od jego belek, upadł plackiem na ziemię. Leżąc nieruchomo na plecach i nie mogąc się poruszyć, uśmiechał się do stojącej przy nim osłupiałej kobiety.

– Proszę łaskawie się nie denerwować. Waćpani może być pewna, że za chwilę wyjdziemy z kłopotów. Z jakimiż to problemami nie radzą sobie na naszej wszechnicy! Rozwiązujemy wszystko!

* * *

Tutaj na krótko przerwę opowieść profesora (zostawiając go w jego niewygodnej pozycji), by przytoczyć słowa uczestnika delegacji osmańskiej, Turka Alego. Ponieważ od Kallimacha zasłyszałem kilka słów po turecku, w pewnej mierze udało mi się go zrozumieć. Resztę dopowiedziałem sobie sam, co przecież nie było trudne, bo wymowna gestykulacja muzułmanina mówiła sama za siebie. Długo też nie pozostało dla mnie tajemnicą, kogo napotkał na swej drodze.

Z wawelskiego okienka, przez które rzucił okiem, wracając z powitalnego poczęstunku dla służby, zobaczył dwóch intruzów w klatce na wielbłądy. Wpadł w panikę i pobiegł w dół na złamanie karku. W środku, miast czwórki jego dorodnych dwugarbnych wychowanków, zza krat łypała na niego białkami oczu dziwaczna para niewiernych.

Myślę, że już krótki opis da Czytelnikowi możliwość rozszyfrowania ich imion.

Pierwszy był wysokiego wzrostu, choć szczupłość i smętny, podłużny charakter twarzy sprawiały, że wyglądał na słabego fizycznie. Włosy miał zaczesane do tyłu i jakby ociekające tłuszczem – czarne i błyszczące, niczym polerowana żywica.

Drugi, niski, nienaturalnie skłębiony w sobie, poskładany z kilku brył – miał ubiór nieprzystający do letniej pory. Z ramion zwisał mu ciężki płaszcz zielonego koloru, głowę zaś przykrywała zwojowana, przyozdobiona na czole turkusem czapa, ze sterczącym nad nią pawim piórem: przypominał groteskowego wezyra z sennego widziadła. W ręku trzymał sporej grubości sękaty kij, którym z tajemniczą miną opukiwał zawiasy klatki. Prawdopodobnie drągiem tym wybił wcześniej drewnianą blokadę, która podtrzymywała tylną kratę, zamykając tym samym sobie i swojemu towarzyszowi drogę odwrotu. Ali zostawił ją podniesioną, bo wracając, zamierzał jeszcze wielbłądy napoić, a krata była niezwykle ciężka. Jednakże bardzo solidnie przywiązał je sznurami! Wszystko to było pozbawione jakiejkolwiek logiki, bo gdyby tych dwóch chciało mu ukraść wielbłądy, to chyba zadbaliby o to, żeby zniknąć wraz z nimi? Musieli je wypuścić, a następnie nieopatrznie zatrzasnąć się w środku.

Turek postanowił zachować spokój i zwrócił się do chudszego, z którego włosów tłuszcz zdawał się kapać na ziemię, jak krew z ubitego zwierza. Wydał mu się bardziej komunikatywny.

Zabulgotał do niego gardłowo w swoim języku i patrzył wyczekująco. Tamten, rzeczywiście, powiedział coś. Niesiony nadzieją sługa sułtana przez chwilę odniósł nawet wrażenie, że wszystko dosłownie zrozumiał. Zaraz jednak spostrzegł, że jego zadowolenie miało kruche podstawy: niewierny poruszył co prawda ustami, ale ani jedno słowo nie przerwało ciszy, która zaległa w powietrzu niczym obce ciało. Ali poczuł się całkiem zbity z tropu. „I co tu począć?" – zastanawiał się nerwowo.

137

Spróbował zagadnąć tego drugiego. Podszedł bliżej.

– Gdzie są moje wielbłądy? – zapytał znów po turecku.

Wezyr-maszkaron omiótł go poważnie wzrokiem, lecz nic nie powiedział. Wypuścił tylko parę z ust i rozłożył bezradnie ręce... Ali nie wytrzymał: wytrąciło go to z równowagi.

– Gdzie są moje wielbłądy!? – krzyknął – słyszysz? Cztery dorodne rumaki, za które wkrótce zapłacę głową???

Nie spowodował tym spodziewanej reakcji: przebieraniec uniósł tylko jeszcze raz kij do góry i z bólem w oczach zastukał kilka razy w okucia.

Turek odszedł nieco dalej, żeby ukryć przed obcymi swoje wzburzenie. Jest ostatecznie w tym kraju uczestnikiem pokojowej misji.

Świecił ogromny księżyc. Zupełnie inny niż ostry skrawek symbolizujący jego orientalną ojczyznę. Nawet ten mimowolny znak wysyłany przez Naturę nie omieszkał mu przypomnieć, że jest przybyszem i znajduje się na nie swojej ziemi. Wpatrzył się w księżyc, gdyż dostrzegł w nim niezwykłe zjawisko. Z głębin księżycowego srebra, gotującego się w zawieszonym na niebie kotle, zaczęły wypływać na powierzchnię nieduże czarne płatki... Przypominały sadzę. Następnie zdało mu się, że przybliżyły się trochę... Potem znikły, a za chwilę znowu urosły. „Ptaki" – stwierdził po namyśle. Miał wzrok oszlifowany o pustynne skały.

Wrócił do klatki. Czarny chudzielec coś chyba usiłował mu powiedzieć. Turek nadstawił ucha.

– Brud... – powtarzał, gdy opowiadał mi tę historię, wskazując podbródkiem na północ i raz po raz dotykając dłonią swojej fryzury – ... zew...

– Brud... zew... ski.

138

– Brudzewski!? – domyśliłem się wreszcie, zaczynając rozumieć, kogo mój rozmówca mógł mieć na myśli. Ali pokiwał smętnie głową. Co było robić: postanowił wypuścić niepożądanych jeńców. Wyciągnął klucz i zaczął mocować się z zawiasami. Zostały one jednak zatrzaśnięte tak definitywnie, że ku jego przerażeniu klucz się złamał. Czarna postać tym razem jęknęła z rozpaczy: Ali cisnął w jego stronę wściekłe spojrzenie. Tamten spuścił oczy. W końcu doszedł do wniosku, że krótka izolacja na pewno im nie zaszkodzi. „Za karę siedźcie tu sobie!" – pomyślał. Chwilę jeszcze zastanawiał się, gdzie mogły udać się jego garbate ogiery i odszedł pożarty przez cień.

Gdyby Ali należał do europejskiego kręgu kulturowego, pełnego zabobonów, rozplenionych pod szyldem nadciągającego, szesnastego, jak o nim mówią – „nowego wieku" – nie zdziwiłby się zapewne temu, co zobaczył. Jednak będąc pobożnym muzułmaninem, doświadczył uczucia trwogi na widok małego człowieczka płynącego w powietrzu kilka stóp nad ziemią.

– Kto jesteś!? – cofnął się przerażony.

– Jestem doktor Faustus – odpowiedziała zjawa, wracająca zapewne z kolejnych odwiedzin u Drasona – *in spe*. Aktualnie stoję na szczeblu, który można by określić jako Ofiarowanie w Świątyni.

Turek zaniemówił z wrażenia. Znał tę tajemnicę chrześcijańską, bo nieodmiennie pociągały go sekrety nieznajomych, cudzoziemców i innowierców. Mówiła ona o oddaniu przez Józefa i Marię małego proroka Jezusa w pieczę Allachowi. Przemknęło mu przez myśl podejrzenie, że zjawa nie należy do świata przychylnego Mistrzowi z Nazaretu.

Odwrócił się. Mimo dziecinnej wręcz bojaźni, z jaką wszyscy, w tym on sam, traktowali zjawiska nadprzyrodzone, demony jako takie budziły w nim zawsze nieodpartą pogardę.

Kiedy spojrzał ponownie na miejsce, z którego przed chwilą przemawiał niedorozwinięty gnom, nie znalazł nikogo. Ruszył więc dalej do przodu, podejmując swoje poszukiwania. Wszedł w pustą ulicę przymurną. Po prawej stronie wznosiły się fortyfikacje, a od wewnątrz przylegały do nich krzywe budyneczki, z których wyglądały nieśpiące jeszcze o tej porze tak zwane murwy, uśmiechając się do niego obleśnie. „I to nam przypisuje się barbarzyńską dyskryminację kobiet!" – pomyślał Ali.

W pewnej chwili do uszu Alego doszły zza wałów jakieś panicznie brzmiące okrzyki, a w chwilę potem gdzieś z przodu otwarto bramę. Przez nią do miasta wpadły jego kochane garbusy. Turek przyspieszył kroku, bo znudzeni strażnicy dla zabawy zaczęli straszyć je, pohukując jak sowy...

* * *

Obecnie zaglądnijmy ponownie do matecznika, w którym utkwił profesor.

Po otrząśnięciu się z pierwszego szoku, Brutusowi wróciło opanowanie i zimna krew. Ubrał się najszybciej jak potrafił, a następnie podniósł z ziemi roztrzęsioną kobietę, która klęczała z głową zwróconą ku ziemi, zasłaniając dłońmi oczy.

– Niech waćpanna przestanie się lękać, wszystko w porządku – powiedział profesor. – Gdzie Fiol?

Kobieta, która jeszcze ciągle nie mogła dojść do siebie, zaszlochała żałośnie i nic nie odpowiedziała.

Profesor pogłaskał ją po głowie.

– Mor... Mor... – zajęczała.

– Mortuus. Świeć, Panie, nad jego duszą! – profesor zawezwał boskiej Opatrzności.

– Morsztyn... i jego przyjaciele... zabrali go...

Profesor popatrzył na nią zdziwiony.

– Jak to? – zupełnie nie mógł zrozumieć, dlaczego tak się stało, a wtedy jego umysł pracował aż do wyczerpującego rozwiązania zagadki, wprawiając go w stan nie zawsze lubianego przez innych roztargnienia.

– Powiedzieli, że wygnany był z racji swojej duszy, więc teraz bez wątpienia ustał już powód jego prześladowań.

– Jak się nazywasz? – zapytał profesor dziewczynę, której młodość w całym, nagle przywołanym kontekście, uświadomił sobie z właściwą wyrazistością dopiero teraz.

– Diana... – odparła dziewczyna i spuściwszy oczy, oblała się cała rumieńcem.

Profesor okrążał teraz miasto od wschodu. Siwek, w czasie gdy rozmawiał z karczmarką, powrócił i rżał cicho, nagabując go do drogi. Brutus postanowił wjechać do Krakowa w tym samym punkcie, w którym z niego wyjechał, licząc na to, że niepróbujący go poprzednio nawet budzić strażnicy i tym razem okażą mu zrozumienie. Po lewej stronie miał wciąż tą samą scenerię – nierealnie duży księżyc, po prawej zaś – niewzruszone fortyfikacje.

Tę ciszę i spokój przerwał nagle zryw Siwka. Profesor rozejrzał się dookoła. Wydawało mu się, że od strony Krakowa przejeżdża kilku jeźdźców.

– „Dosyć krępi” – zauważył profesor. Po plecach przebiegł mu zimny dreszcz. – Tatarzy? Nie... Coś w ich posturze mi się nie zgadza...”.

Profesor przyglądnął im się uważniej: „Oczywiście, że nie Tatarzy!”. Przed jego oczyma przemaszerowały cztery największe – i jak dotąd jedyne, jakie miał okazję zobaczyć – dwugarbne wierzchowce.

Profesor patrzył jak urzeczony. Nie spodobało się to jednak Siwkowi. Nagle zerwał się w panice i pognał na łeb na szyję przez podkrakowskie bezdroża, przyprawiając profesora o najprawdziwszy lęk. Krzyczał na podopiecznego i apelował doń głośno, lecz to wzmagało jeszcze niepokój u biednego zwierzęcia. W ostatecznym momencie przypomniał sobie rzecz bezcenną: sposób wypowiadania komend przez wawelskiego masztalerza, któremu w swoim czasie powierzył opiekę nad Siwkiem.

„Sss..." – zasyczał najgłośniej, jak tylko się dało. Siwek spowolnił bieg. „Sss..." – powtórzył swoją zachętę. Koń się wreszcie zatrzymał.

Profesor wyszedł z pojazdu i popatrzył w stronę upragnionego celu wędrówki. Za egzotycznymi zwierzętami właśnie zamykała się brama. „Los nie chce, bym powrócił dzisiaj do domu" – stwierdził zmęczony. Usiadł na kamieniu i oparł głowę na rękach. Spojrzał w czarne niebo rozświetlone blaskiem księżyca, w które zwykle lubił patrzeć, lecz teraz nie sprawiło mu to przyjemności. Tym razem płynęła z niego jakaś zniechęcająca aura. Na niebie pojawił się ptak. Obrzydliwe, czarne ptaszysko o nienaturalnej wielkości i wstrętnym, odpychającym spojrzeniu. „Sen mara, Bóg wiara!" – westchnął profesor i położywszy się na ziemi, spróbował zasnąć. Jarząca się kolumna gwiazd rozchwiała się przed nim i złączyła w formę różańca. „Jak to dobrze by było – pomyślał – gdyby nam, platonikom, dano kiedyś możliwość odmawiania tajemnic światła".

Ptaszysko jednak nie chciało odlecieć. Profesor nie był pewny, co o tym wszystkim sądzić. Po ostatnich wydarzeniach nie dowierzał już własnym zmysłom. Przeżegnał się, jak to miał zwyczaj czynić w niepewnych okolicznościach. Wówczas ptaszysko przestało się nim interesować i odleciało, jak mu się zdawało, bardzo szybko.

Teraz dla odmiany stracił wszelką ochotę na sen. Mimo niesprzyjających warunków, postanowił więc udać się w dalszą drogę. Zawrócił Siwka ponownie w stronę Krakowa i pokołatali, tym razem już spokojnie ku Bramie Grodzkiej. Profesor podejrzewał, że to właśnie tam dziś wieczór przekroczył granice miasta.

W tym miejscu warto poświęcić kilka słów stylowemu pojazdowi profesora, który doprawdy nie ma równego sobie na całej ziemi. Nic dziwnego! Został on bowiem skonstruowany przez naszego vistulańskiego geniusza, nieodżałowanego Szwajpolda Fiola... Jego forma niewiele zaiste wykracza poza właściwy zakres pojęcia „dwukółka". Są to, w rzeczy samej, dwa koła, prosta ławeczka – i nic więcej. Dzięki niemu, profesora można rozpoznać w całym sławnym ze swojej akademii Krakowie, nawet bez znajomości jego fizjonomii. Na to też liczył on dodatkowo, zbliżając się do wzgórza wawelskiego, bo ta oto droga powrotna wydała mu się ostatnią z możliwych.

* * *

Królewna Elżbietka, która bezwiednie odegrała w tych wydarzeniach rolę niezastąpioną i *nomen omen* „kluczową", tego dnia długo nie mogła zasnąć.

Już kładąc się spać, nie czuła w ogóle senności. Dzień był pełen wrażeń. Mogła zachwycać się tyloma nowo poznanymi osobami. Wawel aż huczał od wesołego gwaru wywołanego przez tłumnie przybywających gości, z których najbardziej niezwykła była biała procesja przybyłych z dalekiego Orientu cudzoziemców. Zresztą nigdy nie lubiła być śpiącą królewną. Zawsze wolała czuwać.

Wspominała teraz minione wydarzenia, zatrzymując się z osobna przy każdym z nich i rozkoszując się rozmaitymi szczegółami.

Jej dwie młodsze siostrzyczki, także Elżbietki, jedna żyjąca równy roczek – od dziewiątego dnia maja do tegoż dnia roku następnego – i druga, także urodzona w maju i również przed dziewięciu laty zmarła w tym miesiącu – na pewno cieszyłyby się razem z nią.

Podeszła do okna. Przecudna, głęboka lipcowa noc znajdowała się w fazie pełnego rozkwitu. Elżbietce wydało się, że widzi dwukółkę profesora. Znała go. To ten wspaniały pan nauczyciel, który tak interesująco opowiadał królewnie wczoraj o gwiazdach, że zamarzyło się jej, aby samej zostać gwiazdką i zawisnąć kiedyś wraz ze swymi dwiema zabranymi przez Majową Panią młodszymi siostrzyczkami na firmamencie. Właściwie nie wiedziała, dlaczego myśli o nich: młodsze. Przecież w rzeczywistości są od niej o wiele starsze! Musi wyrażać się o tych drogich osóbkach z nieco większym szacunkiem! Identyczne zresztą niemal zamieszanie panuje pomiędzy nią, a jej w widoczny sposób starszymi siostrami. Anna i Barbara – ukochane przez nią opiekunki – tkwią w stosunku do niej na pozycjach poniekąd wykonawczych. Mowa, rzecz jasna, o buławie duchowej! Może główną rolę gra tutaj jakieś nadzwyczajne wsparcie ze strony tych dwóch Elżbietek i ich Pani? Wszak myśli o nich usilnie i zwraca się do nich...

Królewna zacisnęła dłonie na parapecie. Dobroduszny profesor najwyraźniej miał jakieś kłopoty ze strażnikami. Postanowiła wykorzystać swoją władzę. Zeszła na dół po krętych schodach, następnie wypadła na zewnątrz. Wdrapała się na mur, gdzie mieli swoje stanowiska stróże zamkowi, którzy rozstąpili się przed nią w zdumieniu i stanęła w białej koszulce na górnym chodniku.

– Wpuścić profesora! – zawołała donośnym głosem, a echo jej słów odbiło się od murów Kazimierza i utonęło w płynącej opodal nich Wiśle. Najbliżsi poddani królewny poczuli w karku jakby łagodne wibrowanie i ich głowy same skłoniły się cicho, a po chwili nasłuchiwania, złotnicy z Bramy Grodzkiej zaczęli dla akademika otwierać przejście. Dwukółka wtoczyła się powoli na trakt krakowski. Zdziwiony profesor pomachał ręką do królewny. Rozradowana, odwzajemniła mu się tym samym, kiwając jeszcze energiczniej białą rączką... Była tak szczęśliwa! Ta skutecznie przeprowadzona akcja to ni mniej, ni więcej jej pierwszy królewski akt! Czyż nie mogłaby zostać teraz władczynią i, wypatrując okazji, zawsze kiedy to tylko możliwe, uszczęśliwiać takich dobrych ludzi jak profesor?

* * *

A oto garść informacji, którą po swoim powrocie z Węgier dorzucił do mego zbioru Kallimach. Pozwalają one odtworzyć scenariusz wypadków, wzbogacony o detale istotne z punktu widzenia jego przyszłości.

Po tym, jak rozeszliśmy się do domów, Kallimach wpadł w bardzo posępny nastrój. Opanowały go złe wspomnienia.

Kroczył w myślach rzymską ulicą. Głęboko pod ciemnym płaszczem skrywał sztylet, którym już za kilka chwil miał się posłużyć. Skręcił w prawo. Przed godziną padał lekki deszczyk i bruk mienił się w blasku księżyca. Dokładnie tak jak tutaj, bo i teraz mżawka skropiła nareszcie zakurzony tret.

Spojrzał na potężne ogrodzenie okalające Watykan. Wielka Brama Spiżowa wyglądała groźnie i odstraszająco. Kallimach wzdrygnął się. Ogarnął go jakiś potężny niepokój. Wątpliwości towarzyszyły mu od początku i mogły stanowić argument przeciwko podjętej akcji. Były też jednak za bardzo irracjonalne, żeby wkalkulować je w strategię działania. Ktoś, kto decyduje się wkroczyć na teren *par excellence* wojowniczy, nie może dać się powodować impulsom emocjonalnym.

„Ach, gdybyż ten papież był odrobinę bardziej ludzki! – myślał teraz, wracając do swego domu po bezpiecznym złożeniu ciała Fiola w piwnicy u Drzewickiego. – Gdybyż do swego patrona, byłego rzeźnika chrześcijan, dodał on jeszcze imię tego miłego, życzliwego chłopca, Jana? Jakże inaczej mogłyby potoczyć się moje losy!".

Sięgnął myślami do początków swego pobytu w Sarmacji. Już po udzieleniu mu protekcji i próbach zastosowania ochrony przez Grzegorza z Sanoka, Sejm Polski – na skutek żądań kolejnego po Cilicusie legata, Aleksandra – uchwalił wydanie go Rzymowi. Tylko interwencja tego, u którego następnie przeszedł w dowód wdzięczności na dozgonną służbę, króla Kazimierza Jagiellończyka, ocaliła mu głowę.

Dopiero jednak śmierć Piotra Barbo sprawiła, że poczuł się całkiem bezpieczny.

I jeszcze te podejrzenia o szpiegostwo na rzecz Turcji! A przecież nawet w tej chwili gotów byłby ruszyć na pohańca!

Miał teraz do rozwiązania niemały dylemat: zachować całkowitą bierność, czy też w jakiś sposób ustosunkować się do zaistniałego problemu? Śmierć młodego sodality wywarła na nim doprawdy przykre wrażenie. Jego wściekłość – tłumioną wcześniej przez doraźny interes grupy – wywołała też głupota i niefrasobliwość obrońców muru. Poczuł zimną nienawiść do tych pasożytniczych trutni mających za zadanie strzec swojej ojczyzny, a najczęściej uchylających się od tego zaszczytnego obowiązku. To, co ujrzał, wcale nie poprawiło mu humoru. Zdecydował się jednak odpowiedzieć aktywnie na wyzwanie. Zacisnął mocniej w dłoni żelazne stylisko z ostrym rożkiem na końcu i uniósłszy go w górę, rzucił się z furią na patrzącego nań z rosnącym strachem przedstawiciela półksiężyca.

Ali był mocno urażony i znajdował się u kresu sił. Nie udało mu się złapać wielbłądów, bo spłoszone przez strażników, umknęły znowu w głąb miasta. Co za fatalne pasmo: najpierw intruzi wypuścili jego zwierzęta na wolność, później na wpół żywy dzieciak niewiernych straszył go bezczelnie przy pomocy swych mętnych zaklęć, a teraz jeszcze jakiś szaleniec z tasakiem w ręku zagiął parol na jego życie.

Udało mu się w końcu wbiec w wąski przesmyk. Skrył się tam i dysząc czekał, aż błędny rycerz całkiem o nim zapomni. Była to śródblokowa uliczka, ciągnąca się na tyłach zabudowań pomiędzy ulicą Świętego Jana i Sławkowską.

Ścieżek tych jest kilka w Krakowie, biegną one równolegle do rynkowych pierzei, dzieląc kamienice pierwszej i drugiej strefy szos – podatku od nieruchomości. Prawdopodobnie z powodu pazerności na przestrzeń wybrańców z pierwszej strefy wkrótce zostaną zabudowane. Stanowią one pierwszą możliwość skrętu z głównych ulic, takich jak Szewska, Szczepańska – czy właśnie ta, na której znalazł się Ali. Tam na szczęście przejąłem go, dostrzegając powstałe zamieszanie, tuż po niedawnym rozstaniu się z Kallimachem.

147

Widząc już, co się święci, dałem mu ręką dyskretny znak, żeby poszedł za mną, a następnie, unikając jakoś spotkania z rozsierdzonym Tuscoscytą, przemknęliśmy ulicami Kocią, Psią i Krowią wprost do mojego domu.

Rozdział 26

Aby dodać ram obrazowi nocy, w którym nas umieszczono – a przyznam od razu, że uważam ten nokturn za alegoryczny – zmuszony jestem wyjść trochę poza nią samą i nawiązać do Jana Olbrachta, niefortunnego brata mocarnej Elżbietki.

Para królewska, do której uszu od czasu do czasu dochodziły wieści o następcy tronu wdającym się ochoczo w burdy lub prowadzącym się w korowodach ulicznych dziewek, łykać musiała talerze, o ile nie wiadra, zgryzoty.

Jego staczanie się po równi pochyłej rozpoczęła słynna wyprawa mołdawska. Za jej oficjalną przyczynę podawano dostęp monarchii do portów czarnomorskich: Kilii i Białogrodu. Najazd Turka, Bajezida II, wydarł je przed chwilą graniczącej z posiadłościami Jagiellonów maleńkiej Mołdawii. Nikt jednak z lepiej zorientowanych nie wierzył, by po zwycięstwie wojsk polskich dwa emporia wróciły w ręce Stefana III. Stojący na czele tego państewka lennik jagielloński także nie dawał wiary mało przekonującemu mamieniu, a na waleczności mu nie zbywało. Trudno więc dziwić się, że nie czekał z założonymi rękami na rozwój wypadków.

Zresztą, dlaczegóż ów ciągniony wołami sojusznik miałby przejawiać skrupuły wobec polskiej dynastii, skoro kilka lat wcześniej bratobójcza wojna odbyła się między samymi kazimierzowskimi synami? Rzecz szła o bliską geograficznie mołdawskiemu księstwu koronę węgierską. Stefan śledził także ten spór. Cofnijmy się więc jeszcze o te kilka kroków.

Po śmierci króla Węgier, Macieja Korwina, młodziutki Olbracht, który od dawna przejawiał apetyt, by zasiąść gdziekolwiek na tronie, rozpoczął prędko starania o koronację. Uzyskał poparcie sporych rzesz szlacheckich, jednakże pozostała, wpływowa część panów węgierskich zakwestionowała ten wybór.

Rozpalony Olbracht wbrew woli swego ojca, który chciał widzieć na wakującym tronie starszego syna, króla Czech, Władysława Jagiellończyka, nie zważając na brak pieniędzy i niedostateczną liczbę wojska, ruszył do boju. Ku swemu zdziwieniu, mimo pokonania niezbyt wojowniczego brata, został przez madziarską magnaterię kompromitująco staranowany. Mówi się, że dyskretny udział w jego klęsce miał już wówczas sam lennik Stefan.

Ponoć żal Kazimierza Jagiellończyka o synowską nielojalność wobec dynastii nie minął staruszkowi aż do śmierci.

Przy okazji walki o Węgry objawił się też złowieszczy skutek upokarzania człowieka, który na to w żaden sposób nie zasługuje.

Jan Olbracht w wieku pacholęcym był świadkiem tego, jak zakpiono sobie z dumnego Mołdawianina. Gdy wystrzegający się wszelkiego serwilizmu Stefan po licznych unikach zgodził się wreszcie pod wpływem śmiertelnego tureckiego niebezpieczeństwa złożyć królowi polskiemu długo odkładany hołd – uczynił to pod obwarowanym przysięgą warunkiem, że uroczystość nie będzie miała świadków. Przygotowano w związku z tym specjalny namiot, w którym miała odbyć się wyczekiwana przez Polaków ceremonia.

Stefan wszedł do środka. Upadł na kolana. Obok niego leżała mołdawska chorągiew – również w wiernopoddańczej pozycji. Lecz wtedy stało się coś, co wręcz nie przystaje do dzisiejszej sylwetki Kazimierza Jagiellończyka. Ludzie królewscy zwolnili liny namiotu i książę objawił się zgromadzonemu żołdactwu w pełnym poniżeniu. Towarzyszący ekspozycji rechot ginął dopiero w odległej puszczy. Pielęgnował później pieczołowicie owo szczególne wspomnienie. Zwłaszcza zaś pamięć o dwóch najważniejszych, w jego mniemaniu, postaciach przy nim obecnych: wkraczającym już w sędziwość koronowanym Lechicie i jego męskiej latorośli energicznie przysposabianej do objęcia władzy, młodym Janie Olbrachcie.

Do działań przeciw wyprawie mołdawskiej, Stefan – który nie bez powodu zasłużył sobie potem na tytuł Wielkiego – przyłożył się szczególnie starannie, tak by buńczuczny młokos zapamiętał dokładnie, na kogo ośmielił się podnieść rękę. Znakomicie powiódł mu się manewr doszczętnego oczyszczenia porosłej bukami ojczystej krainy z podwójnych wielkomocarstwowych intruzów. Tak zręcznie wymanewrował swojego chwilowego tureckiego sojusznika, że w rezultacie pozbył się wszelkiej, nie tylko sarmackiej, ale i osmańskiej zwierzchności.

Klęska bukowińska, w której kwiat rycerstwa nadwiślańskiego w liczbie mnogich tysięcy bezpowrotnie został skoszony przez walecznych Wołochów, a poza tym dewastacji uległa połowa polskiego taboru, sprawiła, że do uwielbianego uprzednio przez sejmy i budzącego ogromne nadzieje wojownika przylgnęła złowieszcza etykieta narodowego zabójcy. Ciągnął się za naszym wysoko urodzonym znajomym – wówczas już monarchą – czarny welon, coś na kształt cmentarnego dymu.

„Za króla Olbrachta wyginęła szlachta..." – szeptano za nim posępnie.

Mimo że poza Buonaccorsim mieliśmy z królewiczem tylko sporadyczne kontakty, patrzyliśmy na niego jak na wyeksponowaną publicznie figurę własnego losu i porównywaliśmy z nim nasze osobiste temperamenty. Był więc z nami w trwałym związku. W moich oczach znaczenia przydawał mu dodatkowo wiek – wszak jesteśmy rówieśnikami.

Wyrósł na tym samym pniu co my, te same podziemne rzeki go formowały. Dokąd nie pójdzie ów król Obwisła Warga (ma ją po Habsburgach, z których wywodzi się jego matka), w każdym przypadku pociągnie za sobą nieszczęsnego białego orła, który albo pofrunie za nim, albo pokuśtyka.

Rozdział 27

Wkrótce musiałem wyjechać z Krakowa. Powodem mego nagłego wyjazdu byli, rzecz jasna, scholastycy. W niepewnej sytuacji politycznej – kiedy to państwu jagiellońskiemu zagroził spisek Iwana Srogiego ze wschodu i Habsburgów z zachodu – poddali króla niedwuznacznemu szantażowi, sugerując uruchomienie wszystkich ukrytych sił dyplomatycznych i wejście w warcholski sojusz z jego przeciwnikami.

Nie miałem więc już czego szukać w mieście, tym bardziej, że i moje sprawy sercowe nie układały się najlepiej. Hasilina wróciła do swojego męża, który był kupcem sprzedającym piwo przywożone z Czech.

– Te – powiedziała, patrząc na mnie mętnie i machając mi przed oczami flaszką z resztkami beba na dnie. – Konec!

– Jaki „konec"? Mamy przecież jeszcze caluteńką beczkę od twojego Karelka!

– Lach... ne... – wybełkotała Hasilina, co jak potem mi wyjaśniła w pełnym pretensji liście (pisanym oczywiście po czesku), miało oznaczać, że nie będzie dłużej zadawać się z kimś, kto nie mówi w jej rodzinnym języku. Nazywając mnie „Lachem", może nieświadomie sprawiła mi dużą przyjemność.

Przy okazji pragnę wspomnieć, w jaki sposób Bernard Wilczek, który pochodził z Boczowa, uczył mnie mówić po czesku.

– Miłość – powiedział, po czym z całej siły uderzył w podłogę drewnianą belą, którą przyniósł ze sobą, robiąc w niej paskudną dziurę.

– Laska – powtórzył.

Odesłałem go do domu.

Tym razem z podobną stanowczością wstałem i zapiąłem pod szyją mą małą dumę – krótki włoski płaszczyk, będący ostatnim krzykiem mody.

– Do widzenia, Hasilina! – rzekłem do niej. – Będziesz w moich wierszach.

– Te? – zdziwiła się. W jej oczach ukazały się łzy.

Nazwałem na jej cześć psiaka, owczarka polskiego, którego hodowałem przez krótki czas. Wabił się Lachne.

Naturalnie, zanim wyjechałem z Krakowa, pochowaliśmy Fiola. Mogło się to odbyć tylko na cmentarzu Złoczyńców, przy niewielkim kościółku św. Sebastiana, koło mokradeł.

Kiedy mieliśmy opuścić trumnę do grobu, nadleciał mały ptaszek i przysiadł na niej na chwilę. Popatrzyliśmy na siebie z Rakiem i uśmiechnęliśmy się niepewnie. Spojrzałem jeszcze raz na niego: wpatrywał się w trumnę, która podążała w głąb ziemi.

Przechodząc koło ratusza, mieliśmy okazję przyjrzeć się rzadkiemu obrazkowi. Ustawiono tam dokładnie dwadzieścia jeden dybów, a w każdym z nich widać było twarz jednego z krakowskich wiertelników. Pośrodku znajdowały się podwójne kleszcze – przystosowane do pętania zarówno rąk, jak i nóg – i z tego właśnie wygodnego stanowiska podziwiał rozciągający się przed nim widok znany nam wachmistrz. Był to dopiero początek całego ciągu wrażeń, które w zastępstwie nieobecnego Sfagosa przygotowali dla miejskich strażników jego wykwalifikowani pomocnicy.

Tuscoscyta, a jakże, zaczął się domyślać, o co chodzi, kiedy Drason wspomniał, że widział Konika w ratuszu, a nabrał co do tego pewności, po tym jak Morsztyn wspomniał mu o rachunkach za brylantynę.

Magistrat zaopatrzył swoich szpiegów w niezmywalną maść, którą mieli oni znaczyć niebezpieczne osoby tak, żeby każdy uzbrojony pachołek mógł ich w dowolnej chwili aresztować, dodatkowo powodując ich całkowitą dezorientację.

Kunasz zdołał tylko częściowo wykonać ten plan, wypłakując się w ogrodzie Heydecke na piersiach uczestników nielegalnej wyprawy do jeszcze bardziej nielegalnego banity. Nie udało mu się tylko oznaczyć profesora Brutusa, choć zamierzał to uczynić. Kiedy wydostał się wreszcie z klatki, zawiadomił swoich mocodawców o bezprawnym wyjściu profesora: czterej ceklarze burmistrzowscy ze skatowanymi (*nomen omen!*) oprawcami przybiegli do domu akademika, jednak za późno. Wyrwali ze snu jego małżonkę, lecz on sam nie dał im żadnych powodów do podejrzeń, będąc w stanie tak kamiennego odrętwienia, że nie drgnął nawet, kiedy wpadli do jego sypialni.

Nie miałem więcej okazji rozmawiać z Kunaszem i nie wiem, jak to się stało, że został tak nieszczęśliwie zakleszczony w wielbłądziarni Alego. Zresztą wzdrygałbym się na samą perspektywę spotkania z nim albo z towarzyszem jego uwięzienia. Znając wszakże Bernarda Wilczka, nie zdziwił mnie wcale fakt, że ten wszechstronny poliglota w kulminacyjnym momencie zapomniał był języka tureckiego, choć wielokrotnie zarzekał się, że jest jego mistrzem. Ważniejsze jednak, co mówi mi intuicja, że narzędzie przerosło mistrza: mocno niedoceniana laska pasjonata języków obcych, ukazała w końcu swą moc, odwracając bieg wydarzeń. To chyba drugi taki wypadek od czasów Mojżesza.

Rozdział 28

Wjeżdżając na powrót w Puszczę Hercyńską rojącą się od rozbójników, doświadczyłem kolejnej niemiłej przygody. Jacyś ludzie zabrali mi ukradkiem na postoju całą bibliotekę – bezcenny zbiór, zgromadzony przeze mnie w Krakowie. Co prawda w tym miejscu należy się liczyć z podobnymi anonimowymi przykrościami, lecz ja chyba domyślam się, jacy to „nieznani sprawcy" zapałali chęcią zachodniej lektury.

Zdaje się, że byli to ci sami osobnicy, którzy dwa i pół roku wcześniej spalili bibliotekę Kallimacha, a jakiś czas potem ukradli cały zapas papieru z drukarni Fiola.

Nie uczynili mi oni może aż takiej szkody, jak zamierzali, gdyż w najbliższym czasie nie mógłbym przeczytać z pożytkiem żadnej, nawet najbardziej brzemiennej wiedzą księgi.

Zaczęło się bowiem dziać ze mną, doprawdy, coś przedziwnego. W dotychczasowym moim doświadczeniu życiowym odbierałem kosmos jako praktycznie nieskończony zbiór elementów, z których każdy w sobie właściwy sposób pociągał mnie do siebie i mrugał do mnie zachęcająco: zbliż się, Konradzie, i dotknij mnie!

Naraz wszystkie owe przyjacielskie segmenty uniwersalnej składanki, migające do mnie różnokolorowym blaskiem, przybrały z nagła – i zgoła bez zapowiedzi – kolor czarny. Nie wiem, czy wyrażam się dostatecznie obrazowo. Dla lepszego uświadomienia Czytelnikowi, czym stał się dla mnie ów gwałtowny proces, dokonany, jeśli się tak mogę wyrazić, w „oświetleniu rzeczywistości", proponuję wykonanie następującego ćwiczenia w imaginacji: jest on (Czytelnik) istotą żyjącą od zawsze w oceanie światła. Żywioł ów jest kolorowy, ciepły, bezpieczny i niemalże osobowy. Czytelnik zaś, to jedno z owych niezliczonych światełek dodających do jego bogatego blasku swój odcień. I nagle ów opiekuńczy ustrój, ten – mimo prób powściągania języka, termin sam się narzuca – Wielki Tata – zmienia się w swoje przeciwieństwo, stając się czymś ciemnym i groźnym. Zewsząd szczerzy kły i nie pozwala wydostać się na zewnątrz! Owszem, w Czytelniku tli się jeszcze jakiś niewielki ognik, ale jest on głęboko ukryty i z każdej strony otoczony morzem nieprzeniknionej ciemności. Co w takiej sytuacji robić? Zgroza, nieprawdaż?

Demolujące mnie od środka procesy, które zapoczątkowały swą niszczycielską działalność już w finale mej krakowskiej bytności, rozszalały się na dobre po powrocie do Norymbergi.

Błąkałem się niczym ogłuszony po norymberskich zaułkach, zewsząd wyglądając pomocy, lecz ta nie nadchodziła. Wpatrywałem się w fasady domów, aby przemówiły do mnie jak niegdyś w Krakowie, żeby w swym języku zadały mi pytanie za pomocą szeroko rozwartych ust zdumionych bram: „To ty, Celtis? Co tutaj robisz??? Nie spodziewałyśmy się Ciebie wcale!". Lecz one milczały i wokół panował martwy spokój.

Uczepiałem się wzrokiem spojrzeń innych ludzi, w nadziei, że ktoś odpowie na zawarte w nim pytanie, którego nawet nie potrafiłem sformułować. Ale wśród nich nie znalazł się żaden mój zbawca, te przypadkowe osoby nie zdawały sobie sprawy, co drzemie w mym sercu i nie były w stanie wyciągnąć do mnie pomocnej dłoni. Nigdzie nie znajdywałem przyjaciela i znikąd nie udało mi się przyjąć pociechy.

Aż wreszcie, zrozpaczony, przysiadłem któregoś dnia na szerokich schodach znajdujących się przy jednej z bocznych, mniej ruchliwych ulic Norymbergi. Zwiesiłem głowę między kolanami i siedziałem tak, doprawdy nie wiem, jak długo.

Z odrętwienia wyrwało mnie łagodne potrząśnięcie ramieniem.

– Co ci jest, synu? – jakiś mężczyzna w sutannie pochylał się nade mną i przyglądając mi się z uwagą, zadawał mi to pytanie.

– Nie mam pojęcia, co dalej robić – odpowiedziałem głucho.

– Chodź za mną – powiedział mężczyzna i poprowadził mnie w stronę bazyliki. Poszliśmy na pierwsze piętro, do jego celi i tam opowiedziałem mu wszystko, co wydarzyło się w moim życiu, od norymberskich początków mej poetyckiej sławy, poprzez pobyt w Krakowie i żal doznany po stracie przyjaciela, zawód miłosny i prześladowania wywołane przez akademickich obskurantów. Ksiądz przysłuchiwał mi się w milczeniu, od czasu do czasu kiwając ze zrozumieniem głową. Na koniec wyjął z kieszeni małą buteleczkę z olejem i namaścił mi nim głowę, robiąc na niej znak krzyża.

– Co dalej? – pytałem na odchodnym spotkań, które odbywaliśmy co jakiś czas.

– Czekaj i nie trać nadziei! – odpowiadał niezmiennie.

Czekałem więc i próbowałem nie brać sobie do serca różnych bolesnych ukłuć, których nie szczędził mi los.

Był to okres czyśćca, o którym pisałem wcześniej. Wówczas to zostałem miłosiernie uwolniony od przykrych konsekwencji mojego wcześniejszego, grzesznego żywota, z których najbardziej dotkliwą okazał się chyba chaos, jaki zapanował w moim wnętrzu. Choć bardzo się starałem, nie potrafiłem nań znaleźć właściwego środka.

Pracowałem w „Femere", dokąd tylko mogłem, nie zważając na upokarzające traktowanie ze strony najwyższych gremiów wytwórni oraz mej bezpośredniej przełożonej. Nie zwracałem uwagi na jej liczne wulgaryzmy sypiące się często w moim kierunku i nie reagowałem na niesprawiedliwe zarzuty, które niejednokrotnie wysuwała pod moim adresem.

Pewnego razu przyszła do pracy w stanie wyczerpania, w którym można się było domyślić skutków zeszłonocnej, bachicznej swawoli. Zjawiła się długo po dozwolonym czasie i mogła spodziewać się ostrej reprymendy od sprawujących nad nią kontrolę pracowników firmy.

Oskarżyła mnie więc o błędną realizację tematu, wywołując przy tym karczemną awanturę. Była sprytna, więc udało jej się skutecznie odwrócić od siebie uwagę. Ja zaś przyjmowałem wszystkie te szykany z pokorą.

Także w „Scholares" nie buntowałem się i nie spiskowałem przeciwko naszym rządcom, tak jak to czynili moi kompani.

I nadszedł wreszcie czas, kiedy w mym niemal pozbawionym słońca świecie, po raz pierwszy błysnęło światło – dzień, w którym skrzyżowały się drogi moje i Antoniego Kobergera.

Było to niedługo po mojej rozmowie ze spotkaną we francuskiej gospodzie gładyszką (nawiasem mówiąc, sąd miejski pokarał właścicieli jej bezwarunkową likwidacją; stała się więc niejako miejscem wybranym dla naszego, jedynego w historii *rande-vous*).

Antoni znalazł mnie w sytuacji biegunowej do kultywowanych dawniej ideałów. Pracowałem wtedy w „Scholares" i ciągnąc swój wózek, myślałem o tym, że przyszło mi nie tylko ulec czemuś nie chodzącemu, ale dodatkowo sam to coś muszę jeszcze za sobą pociągać.

– Celtis! – zawołał rozradowany. Znał mnie oczywiście z wieńczącej mnie uroczystości cesarsko-poetyckiej. – Słyszałem, żeś był w Krakowie?

Podniosłem zwieszoną głowę. Koberger przypominał trochę wzrostem i uczesaniem Kallimacha - miał tak jak on długie, kręcone włosy – choć jego były już siwawe. Przywodziły na myśl srebrne dzwonki zawieszone na świątecznym drzewku. Czyżby te instrumenty dzwoniły dla mnie?

– Tak... – powiedziałem i zastanowiłem się, kiedy to mogło być – jakieś dwa lata temu...

– Nie szkodzi – powiedział niezrażony. – Potrzebuję kogoś, kto opowie mi dokładnie o nadwiślańskiej stolicy i może nawet zrobi jej szkic!

Widać było, że ma już skonkretyzowane plany w tym zakresie.

– Wydaję „Kronikę Świata" doktora Schedla!

Wyjaśnił mi, że doktor Schedel to nieprzeciętnej klasy uczony, który materiały do swej wiekopomnej pracy zgromadził podczas licznych podróży badawczych.

– Daje on w swoim *opus magnum* rzetelny wgląd w perypetie ziemskie – mówił podekscytowany wydawca – od samych początków Stworzenia do czasów nam współczesnych. Wolgemut i jego pasierb Pleydenwurff zgodzili się już zrobić drzeworyty. Potrzebują jedynie wzorów. Zechciałbyś może je wykonać?

Za odpowiedź niechże Czytelnikowi posłuży wzmiankowane dzieło, po które może sam sięgnąć, gdyż znajduje się ono obecnie w prawie każdym składzie księgarskim na świecie. Są w nim, obok peryfraz dotyczących Sarmacji i pozostałych sławnych krain, drzeworyty zrobione przez dwójkę znakomitych norymberskich drzeworytników na podstawie moich rysunków. Przedstawiają one portrety Nysy, Lubeki, a przede wszystkim metropolii, o której miałem do powiedzenia najwięcej.

– Krakowianie! – zawołał Antonii Koberger, ujrzawszy mnie jakiś czas potem. – Wydaliśmy chyba najsławniejszą księgę w dziejach norymberskiego drukarstwa!

Rzecz jasna, czujnej uwadze Czytelnika nie uszedł z pewnością fakt, że dziełu Schedla użyczyłem swoich skromnych talentów jedynie jako grafik. Nie piszę nic natomiast o mych dokonaniach literackich. Zmierzam właśnie do tego, żeby tę rzecz – z oczywistych powodów wartą wyjaśnienia – wytłumaczyć. Otóż, bezmierne zamieszanie wewnętrzne będące wynikiem moich lechickich przeżyć, które trwało około roku, wywołało i ten negatywny skutek, że wytrąciło mi pióro z ręki. Zniechęcony jałowością mych poetyckich poszukiwań zarzuciłem chlubną sztukę poezji i przeszedłem pod panowanie jakiejś innej, anonimowej, plastycznej muzy. Znów jednak powracam do wyczesywania z chropawej skóry ziemi sensu za pomocą łopatki zbudowanej ze słów. Czynię to tym razem prozą, gdyż złożoność tematu, który pragnąłem Czytelnikowi naświetlić, obliguje mnie do użycia nowych metod.

Niedługo po hucznym świętowaniu udanego wydania „Kroniki Świata" w budynku, do którego wiodą łagodnymi przypływami szerokie schody, na których brzegu niegdyś siedziałem, miała miejsce inna uroczystość. Tym razem to ja byłem jej głównym bohaterem, a uczestniczył w niej również ksiądz Uszkiewicz... i jeszcze ktoś.

Ta bielsza nad biel, eteryczna – rzec by można – postać zbliżała się do mnie, rozpryskując wokół wesołe ogniki zmysłowości i uśmiechając się subtelnie, jak gdyby w najdelikatniejszym na świecie, kryształowym naczyniu o cienkich ściankach niosła nektar zebrany z wszystkich najsłodszych kwiatów ziemi.

W ławie poniżej usadowiły się dwie osoby: zażywna nestorka stanowiąca w tym stadku głowę rodziny, a obok siostra panny młodej, poprzez bliskie sąsiedztwo kojarząca się teraz bez reszty z rodzicielką. Obie głowy uśmiechały się do mnie, słodko mrugając oczami.

Coś mi to przypomniało. Jakieś wspomnienie z przeszłości. Wreszcie zrozumiałem, z czym mogą kojarzyć się te dwie, podobne do siebie, równo kiwające się głowy. Zdaje mi się, że właśnie przed chwilą zaprzyjaźniłem się ze smokiem wawelskim.

Rozdział 29

Ocean nieprzyjaznej ciemności, w którym zatoną-
łem, począł z wolna ustępować. Dokonało się to przy
wydatnej asyście księdza Uszkiewicza (podaję tu oczywiście nienorymberską pisownię jego imienia), który wy-
słuchał moich zwierzeń, nie przerywając mi w żadnym
momencie. Zrozumiał, widać, że najgorszym posunię-
ciem wobec tego, komu scholastyczna cenzura chciała
zamknąć usta, byłoby nie udzielenie mu głosu. Przychyl-
nie odniósł się do zasadniczo dobrego kierunku moich
poszukiwań, które polegały na dążeniu do światła w Naturze. Pochwalił także dwa ostatnie uczynki miłosierdzia
wobec Szwajpolda, którymi były nawiedzenie chorego
i pogrzebanie jego ciała (gdzie jesteś teraz, Światopeł-
ku, pełgająca iskierko światła?). Dla wsparcia swej tezy
sięgnął po cytat z Pisma: Błogosławieni czystego serca,
albowiem oni Boga oglądać będą. Ci, którzy kultywują
tę cnotę, już teraz mogą w Naturze dopatrzyć się odbicia jej Stwórcy. Wyjaśnił wszakże nierozumiejącemu,
że w świecie istnieją też świecidełka, które nazwać by
można „błyskotkami" – usiłują one zwieść i omamić
człowieka. Aby nie dać im się oszukać, należy iść zawsze w świetle prawdziwym i najczystszym – samym
Źródle jasności.

Nie od razu wkroczyłem jednak na tę drogę. Nieraz
stawiałem dziecinny opór i mimo rad księdza Uszkiewicza, zdarzyło mi się podążyć za tą czy inną błyskotką.

Aż wreszcie na norymberskim przedmieściu, kiedy zbolały i zgorzkniały kroczyłem ku niewiadomemu celowi, stracono do mnie resztkę cierpliwości. Z wysoka, gdzieś od stóp Najwyższego Tronu, nadleciał srebrny młot i walnął mnie litościwie w głowę. Nie wiem, jak to się stało, ale jednego jestem pewien: słyszę dzisiaj i widzę. Nie potrzebna mi do tego nawet barwna łąka, która tworzy amfiteatr dla milionów świerszczy i kładzie się miękką woalką pod opudrowane skrzydła motyli. Doznaję tego w każdym niemal miejscu i o każdej porze. Nie było tych doświadczeń dużo: właściwie kilka! To raczej ich niezwykłość przyćmiewa codzienny obszar mojego życia.

Z ich wyłącznie powodu podjąłem się napisania tej opowieści: depozyt, który otrzymałem, domaga się upublicznienia, a przy okazji stanie się może pretekstem, bym poćwiczył pióro. Po całym zatem wstępie, którym miała być dotychczasowa narracja, przedstawię teraz Czytelnikowi owych kilka doświadczeń lakonicznie, starając się nie rozbudowywać komentarza, by nie zakłócić swobodnej ich interpretacji. Nie wątpię, że Czytelnik wyciągnąć może więcej od mnie korzyści z przedstawionych poniżej treści.

By w skomplikowanej materii się nie pogmatwać, będę poruszał się po jej terenie jak palec po kalendarzu. Tak oto brzmiała pierwsza usłyszana przeze mnie przemowa:

„Każdy z was, młodzi przyjaciele, znajduje też w życiu jakieś swoje «wester Platte». Jakiś wymiar zadań, które musi podjąć i wypełnić. Jakąś słuszną sprawę, o którą nie można nie walczyć. Jakiś obowiązek, powinność, od której nie można się uchylić. Nie można zdezerterować".

Termin „wester Platte" przytaczam dosłownie, może zresztą coś przekręciłem – przyznaję, że na dźwięk niemczyzny doznałem przyspieszonego bicia serca! Z uwagi jednak na osobisty kontekst, ośmielę się stwierdzić, że Głos mógł mieć na myśli „zachodnich platoników"! Za chwilę po okrzykach tłumu pojąłem, kto do mnie przemawia. Jeśli powiedziałbym, że zamarłem, dałbym tylko blady wyraz moich, z chwili na chwilę przekraczających coraz to wyższe granice, uczuć. Miałem, w rzeczy samej, do czynienia z przyszłym biskupem Rzymu i dodatkowo – co nie ulegało dla mnie żadnej wątpliwości – Sarmatą. Strumień polszczyzny, którą rozpoznałem, a co ciekawe, bez trudu chłonąłem w tych ekstremalnych okolicznościach, łączył oratora z zasłuchaną w nim bez reszty publicznością. Nie wiedziałem jeszcze, w której z nadchodzących epok to wszystko się dzieje, lecz teraz mogę prognozować z dużą precyzją. Za chwilę udzielę wyjaśnień, lecz po kolei!

Odbyłem jeszcze kilka tych spektakli. Ich całość nie zawsze do mnie docierała, nieraz było to jedno z szeregu słów. Tym większą każe mi to przypisać wagę, temu co zrozumiałem! Na przykład, z przemówienia, o którym mogę powiedzieć, że dotyczyło spraw tradycji, pomnę tylko to zdanie: „Proszę was, nie lekceważcie tego dziedzictwa!" – tak kończył swój dramatyczny apel watykański Sarmata.

Przyznam, że zagotowało się we mnie. Jak to możliwe!? To ja, obcokrajowiec znad Menu, żywię więcej troski o mą przybraną ojczyznę niźli jej przyszli mieszkańcy? Oby następnym biskupem Rzymu został ktoś z germańskiego rodu!

* * *

Jak sobie zażyczyłem, tak też się stało.

Zaraz przy następnej okazji przemówił do mnie teutoński Głos – Bawarczyk – łza zakręciła mi się w oku! To

165

było chyba osobiste pocieszenie, bo poza tym dosłownie nic nie pamiętam! A mimo to, mam w głębi umysłu niezatarte wrażenie, że wszystko to powiedziane zostało przez mego rodaka wyśmienicie. *Bene dictum*, doprawdy!

* * *

I otóż – sprawa przypisania tych ewenementów konkretnym wiekom!

Przekaz poniższy odebrałem już nie tylko akustycznie, lecz i wizualnie. Ukazał mi się, mianowicie, niewidziany przeze mnie od czasów „Scholares", tłum tancerzy świętego Wita. Mieli to samo szaleństwo w oczach i jak zwykle, pląsali bez wytchnienia. Jednak hałaśliwej muzyki, która im przygrywała, nie mogłem rozpoznać. W dodatku zdumieli mnie nietypowi wiertelnicy, którzy temu obłędnemu zgromadzeniu najwyraźniej sprzyjali! I to mimo widocznych w tłumie sodomitów, niosących rycerską chorągiew z napisem w języku niemieckim, więc mogę przysiąc, że mówię prawdę. Brzmiał on: „Miłuj odwrotnie!". Kto miłuje „odwrotnie"? *Apage satanas!*

To na tej podstawie utrzymuję stanowczo, że musi się to dziać w erze niewyobrażalnie odległej!

Rozdział 30

Norymberga zmienia się, staje się coraz większa. Rośnie w jakiś monumentalny sposób, odczłowieczony i przez to nieraz bardzo niepokojący. Mówią, że to nieuchronny skutek wypadu Kolumba, który wybrał się na włóczęgę do Indii po tamtejsze konopie, a w rezultacie nie wiadomo jak, dobił do Ameryki... Od tego momentu rzekomo miała zacząć się „globalizacja". Czy nie sądzi Czytelnik, że to jedynie perfidne kłamstwa, za którymi, kryją się nieczyste interesy? Skoro glob istnieje od zawsze, to globalizacja chyba również? Do czego więc ma doprowadzić niby ta obecna? Bo jeżeli do władzy tych indywiduów, które ujrzałem w kolejnym widzeniu, to bodajbym nosił scholastyczne jarzmo do końca życia!

Zobaczyłem zgromadzenie osób różnej narodowości. Roku nie znam, lecz co do dziennej jego daty, to odbyło się ono na pewno czternastego lipca – wskazówkę tę odczytałem z ustawionej pośrodku nich tablicy.

Uczestnicy tego konwentyklu przypominali idący na święto cech murarski. Ubrani byli w zwykłe czeladnicze fartuchy, do których wszakże nie pasowały białe rękawiczki. Co więcej, równie nie na miejscu wydawały się tkwiące w ich rękach teraz cyrkle i kątownice. Pomiędzy nimi w stroju koronacyjnym przysiadło owo ptaszysko – to samo, które zobaczyliśmy w nocy podczas krakowskiej wędrówki. Początkowo, nie wiedziałem, kim mieliby być owi ludzie, ale w sposób oczywisty sprawiali dużo gorsze wrażenie, niźli znani mi aż za dobrze scholastycy.

Znamienne, że także oni pojawili się w tym widoku i pośpiesznie dołączyli do reszty towarzystwa.

Ci aktorzy nadają ton światu, który mi się ukazał, i zaiste nie są to błogo brzmiące nuty. Wedle mej obecnej wiedzy, to fałszywe anty-Bractwo, które na odwróconą drabinę wartości usiłuje wejść głową w dół. Źródło jasności ustawili sobie nie w górze, jak nakazywałby zdrowy rozsądek, ale, przeciwnie, wetknęli je pod podłogę! Tkwiąc w tak nienaturalnej pozycji, raz po raz sięgają nie tylko po dobra, które my uważamy za chwalebne, lecz i po najgorsze, najbardziej odpychające obrzydlistwo!

Cóż za przewrotni platonicy! Nasze błędne zabawy ze światłem, zdarzające się niektórym z sodaLicji, to przy tych tutaj – dziecinne igraszki!

Uff, nieraz wydaje mi się, żem dotknął czasów apokaliptycznych...

Rozdział 31

Niedawno przenieśliśmy się do Ingolstad nad Dunajem. Moja żona wykłada *humaniora* na tutejszym uniwersytecie. Obecne zmiany kiełkują i takimi jak ten efektami!

Ingolstad jest o wiele mniejsze niż Norymberga i bardziej kameralne. Można się tutaj całkiem przyjemnie urządzić.

Chyba nigdy nie przestaniemy wędrować. Taki już los humanistów: nieprzerwanie podróżować z miasta do miasta i do jego refleksów dodawać ogniki skrzących się nieznanymi łunami własnych lampek!

Jeżeli spojrzeć na mapę, to z Ingolstad Dunaj najpierw dociera do Ratyzbony, a następnie, przez Pasawę i Linz, płynąc dalej na wschód, do Wiednia. Przebywał tam, wygnany przez scholastyków niedługo po moim wyjeździe z Krakowa, inny humanista, który już dzisiaj gości zapewne w Nowym Jeruzalem.

Pamiętam, jak skomentował słowa sarmackiego monarchy, kiedy ten ostrzegał nas przed nienawiścią scholastyków.

– Jak waćpanom mówiłem, nie jestem władcą ludzkich sumień – przypomniał król. – Wydaje się, że nasza działalność na razie dobiega końca. Lecz pamiętajmy, że lepiej z mądrym stracić niż z głupim zyskać! I jeszcze jedno: po piątkowym złożeniu do grobu następuje ożywcza niedziela. Ziarno zasiane przez waćpanów na pewno przyniesie w Krainie Białego Orła upragnione owoce!

– Co o tym wszystkim sądzisz, Tuscoscyto? – spytałem Kallimacha, kiedy opuszczaliśmy Wawel po odbytej audiencji. – Czy Sarmaci opowiedzą się w przyszłości przeciw scholastyzmowi?

Kallimach chwilę pomyślał:

– Odkąd sam stałem się jednym z tego ludu – odrzekł – problem ten jakoś przestał mnie zajmować...

– A co będzie, jeżeli sprawy pójdą w niepożądanym kierunku i polski król przestanie już na zawsze korzystać z naszej pomocy?

Kallimach odnalazł pod peleryną kształt znajomej rękojeści.

– Nigdy nie interesowało mnie za bardzo – rzekł, gładząc ją z lubością – to, co uczyni dla mnie ten, albo inny władca. Czy to w sztuce, czy też w polityce. Zastanawiam się raczej, czy my sami zrobiliśmy wystarczająco dużo dla naszej sprawy?

Cóż, pozostaje mi przyjąć ten sam punkt widzenia.

Rozdział 32

W obecnym miejscu naszego pobytu widzi się często posesje podobne do kamieniczek, które spotkałem pod Norymbergą, z tym wyjątkiem, że nie emanują one materialistyczną martwotą. Jeden z tych licznych domków z ogródkiem, tworzący wraz z jasnobrązowym płotem pastelowy trapez, nabyliśmy za honorarium z ilustracji do księgi Schedla.

– Jaki, według ciebie, powinienem dać tytuł temu, co napisałem? – pytam mej pokrewnej gwiazdy, z którą płyniemy razem w nowy rejs po firmamencie.

– Chyba warto, byś zwrócił uwagę na chwilę, w której przechodziliście ulicą Zwierciadlaną – odpowiada moje francuskie znalezisko. – Mógłbyś swoją metodą zatytułować ją: „Chodząc po Krakowie na czwoRakach". I wiesz, co? Ponumeruj rozdziały cyframi arabskimi, żeby choć w ten sposób zrekompensować Alemu wrogość Zachodu!

– Kiedy siedzimy w ogródku, jej włosy falują w świetle migoczącego kaganka jak żywe stworzenia. Nie hodujemy tu co prawda rajskiego ptactwa, na wzór Mirici, ale w niewielkim stawie za nami cicho pluska kilkanaście smakowitych skorupiaków. Ingolstadzka noc jest atramentowo ciemna, nie zaś srebrna jak w Krakowie.

Uśmiecham się i kręcę głową z niedowierzaniem: co za mądrość tkwi w mojej towarzyszce.

– Drugi, na pozór mniej zaszczytny moment – kontynuuje, patrząc na mnie uważnie – ale chyba ważniejszy i mający w sobie coś puentującego, to czas naznaczenia strażniczych zbroi. Przy okazji, wykazaliście się wtedy iście pacholęcą pokorą!

Zgodziłem się, że ten motyw jest kulminacyjny! Dodatkowo przekonała mnie doń figurka Filipa Jana, który wsparty na drobnych rączkach, przebierał właśnie dzielnie nóżkami w stronę tatusia.

* * *

A propos tego, co raczkuje, lub w ogóle zdąża do tyłu: otrzymałem ostatnio list od Jana Sommerfelda. Opisuje w nim stosunki panujące obecnie pod Wawelem.

Jan Olbracht w ostatnim roku zakończonego dopiero co stulecia, zawarł w imieniu Sarmacji traktat z Francją. Data jego podpisania zmroziła mnie, przyznam: czternasty lipca. Coś posępnego zawisa nad Rzeczpospolitą!

Morinus uzyskał szlachectwo. Pisze się teraz: Jerzy Morsztyn herbu Leliwa. Nobilitacja okazała się konieczna, gdy nasz radca zapragnął nabyć majątek ziemski, do czego musiał się wykazać rycerskim rodowodem. Pewnie i w nim kołacze się jakiś sentyment do pamiętnej nocy, bo Czytelnikowi tej opowieści znajoma musi się wydać symbolika jego nowego herbu: księżyc w nowiu z gwiazdą w niebieskim polu... Rzecz jasna, fałszywe zeznania pieczętujące jego przynależność do starożytnego rodu Leliwitów, chętnie zatwierdził mu Jan Olbracht. Plebs ochrzcił już to szybko szerzące się zjawisko mianem „TKM-u", co ma stanowić skrót od słów – teraz kolej Morsztyna. Takie to czasy nastały za nowego jagiellońskiego monarchy!

Sfagos za swoje karygodne roztargnienie obciążony został przez Radę obowiązkiem oczyszczenia dołów fekalnych, które pod Wawelem opróżniane bywają co kilkadziesiąt lat. Teraz, nawet gdyby co dzień uprawiał kąpiele w pachnących niezapominajkach, nie uwolni się od aromatycznego nalotu, który zebrał przy tej okazji. Dość powiedzieć, że ostatniego sprzątania podjęto się jeszcze za księcia z poprzedniej dynastii, któremu z powodu miny jaką wówczas przybrał, nadano od razu przydomek „Krzywousty". Zmartwił nas Drzewicki. Nie może pogodzić się z przemianą, jaka dokonała się w niezmiennie makiawelizującym Tuscoscycie. Podobno wbrew jego woli buduje mu czarną legendę i zamierza wydać ją w formie „Rad dla Jana Olbrachta".

Mowa tu o przewrocie, jaki nastąpił wreszcie w samym spiskowcu. Tuż pod koniec życia zmienił całkowicie postawę wobec przeszłości. Na znak tej odnowy postulował, by przenieść naszą majuskułę z Nadwiślańskiego Towarzystwa Literackiego na pierwsze miejsce. O ile ktoś wspomni o nas kiedyś, znajdzie ją już zapewne w powyższym szeregu. Wielkie wrażenie wywarła na nim wieść o sarmackim papieżu z przyszłości, która wywołała w nim wręcz burzę uczuć patriotycznych. Istotniejsza jednak okazała się jej dalsza część, obejmująca próbę zamachu na patriarchę. Zamachowiec o imieniu Ali – jakże znajomym dla naszego ucha – tak długo wiercił we wnętrznościach Tuscoscyty, aż tamten ze łzami w oczach skapitulował i dostrzegł w nim w końcu własne odbicie. To zrelatywizowało również pozostałe jego przekonania. Wycofał się całkowicie ze swoich wrogich wobec świata muzułmanów zamierzeń, ponoć przeraził się wręcz perspektywą przygotowywanej właśnie przez siebie wojny z Turcją!

Zmarł pierwszego listopada tysiąc czterysta dziewięćdziesiątego szóstego roku. Ufam, że nie jest to data przypadkowa.

Rak potwierdza w swej epistole pogłoskę, że scholastyzm zamiera w Sarmacji. Nadszarpnięty przez różne wydarzenia, w tym i przez naszą małą kulturalno-literacką dywersję, popada powoli w ruinę i rozsypuje się na kawałki.

Niestety, nie w pełni. Na skutek knowań scholastyków, obłudnych i niewdzięcznych Żydów z Rady Miasta, nieszczerych liberałów oraz sprzedawczyków spod znaku Jana Kunasza, jego przedstawiciele zdołali przybrać inne maski. Konik podobno dorobił się osobliwego majątku, w czasie wymiany starej waluty na nową, która nastąpiła zaraz po wyborze Jana Olbrachta na króla.

Poznałem też ciekawostkę dotyczącą naszego honorowego platonika, Siwka. Z panicznej ucieczki, jaką odbyło zwierzę spod gospody, w której chwilowy sen odnalazł jego właściciel, przyniósł do domu niezwykłą zdobycz. Był to mały złocisto-pomarańczowy ptaszek, jakby wyhaftowany w warsztacie Fiola – egzotyczna zguba z polskiej kolekcji. Profesor zauważył wybrzuszenie na torbie, którą Siwek miał przerzuconą przez grzbiet, więc sięgnął do środka i wyciągnął go stamtąd. Niedługo potem odniósł go wewnętrznie rozchwianemu Tamaryszkowi, który tamtego dnia postanowił odseparować się zupełnie od owoców winnej latorośli.

„Tyłem do przodu!" – żegna się ze mną na koniec specyficznym pozdrowieniem Rak.

* * *

Jeżeli chodzi o mnie, nastąpił kres nadzwyczajnych widzeń, czego prawdopodobnie nie będę żałować. Finalna nauka z nich płynąca przekonuje mnie jednoznacznie, że przyszłość może się rozstrzygać jedynie w naszych sercach.

Gdy tamtej pamiętnej nocy Pani Karkinosa zapytała mnie, czy chcę wyruszyć na wspólnego, mojego i jej wroga, odparłem, że tak.

Nieraz zastanawiam się, co by się stało, gdyby nikt nigdy nie posłyszał mojego potwierdzenia. I gdzie byłby teraz Filip Jan? Matko Elżbietki, Matko profesora Brutusa, Matko nas wszystkich – w każdej chwili, nie tylko wtedy, tak!

Jeszcze w czasach mych norymberskich „rekolekcji", dumałem nad tym, co było godnego pochwały, a co raczej nie, w działalności dawnego Nadwiślańskiego Towarzystwa Literackiego (piszę je tak, jak życzył sobie tego Kallimach). Dziś myślę, że nie wszystko było złe.

Choćby chodzenie na piechotę – wszak był już w historii ktoś, kto poruszał się tylko na nogach, w kraju, gdzie nad szemrzącym Jordanem chylą się cieniste tamaryszki, a w powietrzu fruwają niebieskie ptaki. Nie było i nie ma na świecie takiego powozu, którego właściciel mógłby szczycić się Jego w nim obecnością.

W ogólnym bilansie wyprawa do Krakowa okazała się więc dla mnie owocna. Czytelnik pamięta zresztą, że tuż przed przekroczeniem granicy grodu, ktoś cisnął w moim kierunku piorun... Musiał snuć wobec mnie inne plany.

Kiedy maluję w wyobraźni me niewypowiedziane miasto, coraz częściej zacierają mi się jego szczegóły. Nieodmiennie jednak zostają mi pod powiekami dwa obrazy: pewien tympanon na jednej z rynkowych kamienic i chwila, gdy w blasku księżyca stoimy na chodniku obrońców, wypatrując w oddali niebezpieczeństwa.

Chrońmy Kraków. Nieprzyjaciel stoi u bram.